LA ECONOMÍA EXPLICADA A LOS JÓVENES

Joan Antoni Melé

LA ECONOMÍA
EXPLICADA
A LOS JÓVENES

PUCK

Argentina – Chile – Colombia – España
Estados Unidos – México – Perú – Uruguay – Venezuela

1ª edición Septiembre 2015

© 2015 by Joan Antoni Melé
© 2015 de las ilustraciones *by* Oriol Malet
© 2015 *by* Ediciones Urano, S.A.U.
Aribau, 142, pral. – 08036 Barcelona
www.mundopuck.com

ISBN: 978-84-96886-48-3
E-ISBN: 978-84-9944-925-8
Depósito legal: B. 19.777 - 2015

Fotocomposición: Ediciones Urano, S.A.U.
Impreso por: Rodesa, S.A. – Polígono Industrial San Miguel
Parcelas E7-E8 – 31132 Villatuerta (Navarra)

Impreso en España – *Printed in Spain*

Índice

Querido lector,

Este libro no ha llegado a tus manos por casualidad. La sociedad se encuentra en un momento de profundo cambio y tu papel va a ser fundamental para el futuro del mundo.

Tal vez te preguntes qué puedes hacer tú, a tu edad y con tus recursos, para arreglar los problemas del planeta. Y la respuesta es: *todo*.

El destino de nuestra sociedad depende enteramente de jóvenes como tú y del modo en el que gestionen lo que anuncia la portada de este libro: la economía. Aunque te parezca una ciencia reservada a profesores, analistas y banqueros (eso es lo que nos quieren hacer creer los poderosos), lo cierto es que la economía la decide, con sus actos, cada persona que vive en la Tierra.

La decides tú.

El mundo ha entrado en una gran crisis debido a la corrupción, a la explotación por parte de las multinacionales, al mal hacer de los políticos, a las malas prácticas de la gran banca y, en general, al egoísmo y la falta de conciencia generalizadas.

El capitalismo fuera de control nos ha llevado a una búsqueda suicida del beneficio rápido, sin importar las consecuencias que tiene para el planeta nuestra forma de vivir y consumir y las desigualdades cada vez mayores que existen entre los seres humanos.

Como apuntaba un estudio que la ONG Oxfam Intermón presentó en el último Foro de Davos, el 1 % más rico de la población mundial posee ya más riqueza que el 99 % restante.

¿Alguien piensa que un mundo así es sostenible?

El momento del cambio ha llegado, y tú eres parte fundamental de ese desafío.

Tal vez las voces más conservadoras traten de convencerte de que te adaptes al mundo tal como es, pero puesto que esta sociedad está enferma, yo te invito a que tengas el valor de cambiar el mundo.

Nadie debe enseñarnos a sobrevivir, como si fuéramos animales en la jungla. Tenemos que aprender a vivir como seres humanos libres, capaces de amar y crear.

Y dado que el dinero es una forma fundamental de relacionarnos, el objetivo de este libro es mostrarte cómo funciona para promover su uso consciente y justo con el fin de cambiarlo todo. Sólo así lograremos salir de esta crisis en la que, además de poner en jaque el planeta, sólo unos pocos tienen la calidad de vida y el bienestar que todos merecemos.

A lo largo de este manual aprenderás, entre otras cosas, las tres cuestiones imprescindibles que debes saber sobre el uso del dinero:

- *Cómo te afecta a ti mismo.*
- *Cómo afecta a los demás y a la sociedad.*
- *Cómo afecta al planeta y a su protección.*

La economía no es un coto reservado a inversores y corredores de bolsa. Es un juego en el que participamos todos desde el momento en el que ponemos nuestro dinero en circulación, aunque sea un solo euro.

Mi misión es que, cuando termines esta lectura, sepas cómo funciona el mundo de la economía y cómo puedes influir de forma decisiva para mejorar la sociedad.

Gracias por no rendirte y por soñar con un mundo mejor. Todos los grandes cambios sociales fueron utopías hasta que alguien decidió llevarlas a la práctica.

Espero que este libro te inspire y te haga darte cuenta de que la pelota se encuentra ahora en tu tejado. El rumbo de la humanidad está en tus manos.

¿No es una aventura fascinante?

JOAN ANTONI MELÉ

1
¿QUÉ ES LA ECONOMÍA?

La economía está relacionada con la forma en la que vivimos, con el hecho de saber que no somos autosuficientes. No podemos valernos sólo de nosotros mismos. Y, por eso, necesitamos trabajar.

Hay que trabajar para vivir.

Todos tenemos unas necesidades básicas, como los animales: comer, beber, relacionarnos entre nosotros. Y, como seres humanos, tenemos además unas necesidades extras: vestirnos, tener una casa cómoda y segura, un vehículo para movernos de un sitio a otro.

Por otra parte, lo que necesitamos no tiene por qué ser siempre material, sino que podemos necesitar que alguien que sepa hacerlo nos arregle el ordenador, o que el que sabe de medicina nos diga si estamos sanos, o que nos lleven en autobús o en metro, que alguien recoja las basuras, etc.

Por lo tanto, la economía significa que *hay que trabajar para producir bienes y servicios*, es decir, crear valor o dinero con el que obtener de otros aquello que necesitamos y que nosotros mismos no podemos producir.

Esta situación en la que todos necesitamos cosas de los demás es lo que llamamos *Principio de dependencia mutua*.

A lo mejor has oído alguna vez la expresión «hay que economizar esfuerzos», es decir, conseguir el máximo valor con el menor esfuerzo posible. Esto no significa que haya que ser un vago e intentar no esforzarse, sino que debemos intentar que el esfuerzo que hacemos trabajando nos dé el máximo beneficio posible. Es una frase muy ilustrativa a la hora de entender lo que es la economía.

Y es que la clave de la economía reside en que *para crear riqueza hay que aplicar el trabajo en la naturaleza, o aplicar la inteligencia en el trabajo.* De esa forma, haciendo las cosas bien, es cuando se obtiene el beneficio, la riqueza o el valor.

1.1 ¿QUÉ ES EL CAPITAL?

La clave de la economía, por lo tanto, está en saber crear riqueza trabajando la naturaleza, que nos da los alimentos y los materiales, o bien aplicando la inteligencia en el trabajo para mejorar su rendimiento.

En este sentido, el capital es aquello que aportamos con nuestro trabajo para hacer mejor las cosas y transformar lo que tenemos. Hay dos tipos de capitales:

- *Capital material:* como por ejemplo herramientas, materiales propios o el lugar de trabajo. Aquí también entraría el dinero.
- *Capital inmaterial:* sería, por ejemplo, la inteligencia o el esfuerzo físico, es decir, lo que aportamos como personas. Por eso muchas veces en las empresas se habla de capital humano.

Pongamos un ejemplo:

Imagina que estás en otra era, y que ves a un campesino que tiene unos huertos fantásticos de los que obtiene unas verduras fabulosas (que sería el «valor» del que hemos hablado antes). Ha trabajado mucho para conseguirlo y el esfuerzo podría darle una buena recompensa. El problema es que produce tantas verduras que no puede transportarlas fácilmente, y sólo puede llevar al mercado las que es capaz de cargar. De esa forma, vende muy pocas cada vez, aunque tenga muchas, y además hay algunas que se le estropean en el huerto antes de que consiga llevarlas al mercado.

Ahora imagina que ese campesino le encarga a un vecino suyo, muy inteligente, que busque una solución para su problema, y que, si la encuentra, le compensará con una parte de los beneficios que conseguirá al vender más verdura.

A este vecino, viendo un día una piedra caer rodando montaña abajo, se le ocurre fabricar algo parecido. Pule unos trozos de madera, les da forma redonda, los une a unos ejes, pone una caja encima y construye una carreta. Ahora el campesino puede llevar muchas más verduras al mercado, sin que le duela tanto la espalda por el camino, y en cada viaje hace muchas más ventas y obtiene mucho más beneficio, que comparte con el vecino que ha tenido la idea.

Ahora sí que, gracias al capital aportado, tanto el material (la madera y los clavos para hacer la carreta) como el inmaterial (la idea), está creando riqueza.

El problema en todo esto es que a veces hay que invertir mucho sin saber lo que se va a conseguir. En el caso del campesino, el capital material aportado es poco: unas maderas, unos clavos y un poco de tiempo y esfuerzo físico; aquí lo importante es el capital inmaterial, la inteligencia aplicada al trabajo, pues eso es lo que produce un beneficio que va a servir para siempre, incluso para otros seres humanos.

Este ejemplo nos muestra la importancia de dedicar muchos recursos a la cultura, al estudio y a la investigación, porque de ahí pueden nacer grandes ideas para ayudar a la humanidad. Eso sí, el espíritu debe ser ése: ayudar a toda la humanidad.

1.2 LA APARICIÓN DEL CAPITALISMO

El problema con el capital es que aquel que tiene mucho para ofrecer puede aprovecharse de los que tienen poco.

Imagina, por ejemplo, una mina de carbón. En su momento eran muy importantes, especialmente en los sitios fríos como Rusia, porque el carbón era lo que permitía calentar las casas durante el duro invierno cuando no había sistemas de calefacción, o en países como Inglaterra durante la época de la Revolución industrial.

Ante esa situación, era habitual que hubiese alguien con mucho dinero que pudiese comprar las minas, o que contara con las herramientas y la tecnología necesarias para explotarlas. Esa persona, entonces, podía explotar la mina como quisiera. Y si era una persona avariciosa, de las que buscan su beneficio personal sin importarles el de los demás, no era raro que se aprovechara de ello.

En esos casos, lo que hacía era contratar a las personas que necesitaban dinero o el carbón y las obligaba a trabajar mucho por un salario muy bajo. Podía hacerlo, porque él había aportado el capital y era el dueño de todo. Y si él lo decidía, no había carbón para calentar las casas de los demás.

Por eso, no era raro que el capitalista obligara a sus empleados a trabajar durante muchas horas, y por tan poco dinero que apenas podían pagar el carbón que ellos mismos sacaban de la tierra. Las familias eran tan pobres que incluso los niños tenían que trabajar hasta diez o doce horas dentro de la mina por un sueldo miserable. ¿Te imaginas vivir en Rusia en esa época?

Pero esto no sólo pasó con las minas: fue una práctica que se extendió como la pólvora por todo el mundo. Quienes tenían recursos aprovechaban para invertir su capital en algo que pudiera dar beneficios rápidos. Compraban muchas tierras y obligaban a trabajar a los campesinos en condiciones inhumanas, o compraban toda la flota de barcos y se quedaban con los beneficios mientras los marineros, que eran quienes los llevaban, cobraban poco y corrían peligro en el mar.

Así nació el capitalismo, esa economía a menudo dañina en la que unos acumulaban cada vez más riquezas, mientras que otros trabajaban mucho y ganaban muy poco.

Esto sigue sucediendo hoy en día en casi todo el mundo, pero en los países en los que se respetan los derechos humanos se establecen unos horarios máximos de trabajo y unos salarios mínimos. Aunque estos derechos, como podrán explicarte tus padres o tus abuelos, también fue difícil conseguirlos.

1.3 EL COMUNISMO Y SU FRACASO

El comunismo nació para luchar contra ese capitalismo del que hemos hablado. Lo que buscaba era evitar que se explotara de esa forma a las personas. En cuanto apareció esa concienciación, surgió un movimiento social y político que quería que todos fuésemos iguales y que nadie pudiese mandar. El Estado sería el dueño de todo, y lo repartiría de forma equitativa entre todos. Como en la guardería, donde hay una sala de juegos en la que los juguetes son de todos y, por tanto, ningún niño tiene derecho a acumular más juguetes que los demás.

La idea de que todos fueran iguales era fantástica, pero tenía un problema de base, y es que anulaba la capacidad de sentirse libres de las personas que, al ser tratadas por igual, no podían desarrollar su individualidad. Y ya sabemos que las personas necesitan sentirse libres y ser capaces de decidir por sí mismas.

¿Te imaginas tener que hacerlo todo exactamente igual que los demás? Sería aburrido, ¿verdad?

Como consecuencia, la gente empezó a no usar su creatividad, no podía desarrollar sus ideas, y enseguida se sintió frustrada y sin interés. La población se volvió apática, sin ganas de hacer nada, y eso llevó a que el comunismo fracasara. Era una idea que buscaba la concordia, pero no tenía en cuenta la naturaleza de las personas.

Ya hemos visto entonces que ni comunismo ni capitalismo funcionan bien. ¿Dónde está el problema, entonces? Pues, como hemos dicho antes, en la falta de conciencia que apareció, en gran parte, cuando creamos el concepto del dinero y de comprar y pagar.

1.4 ¿QUÉ ES EL DINERO?

Seguramente estás muy acostumbrado a utilizar el dinero, pero también hubo que inventarlo.

Si retrocedemos muy atrás en el tiempo, descubrimos que, al principio de la historia de la humanidad, la gente no usaba dinero. Lo que hacía eran tratos, los trueques, en los que se intercambiaban unas cosas por otras. Por ejemplo, los cereales que había plantado y recogido uno eran intercambiados por los cerdos que había criado otro. De esta forma, todos salían beneficiados y obtenían algo que necesitaban, o que querían, a cambio de lo que ellos mismos habían producido.

Es decir, por aquel entonces no se intercambiaba dinero, sino valor: cada uno sabía lo que necesitaba del otro, y se llegaba a un acuerdo en el que ambos conseguían algo que les interesaba. *Uno le aportaba un valor al otro, sin depender del precio que impusiese un tercero que buscara beneficiarse de los dos.*

Pero la aparición del dinero supuso una gran ventaja. Y es que aportaba libertad a la hora del intercambio: ya no hacía falta cambiar los valores por unas cosas concretas, sino que permitía guardarse ese beneficio para cambiarlo más adelante por algo que hiciese más falta.

Imagina, por ejemplo, que tú eras un agricultor en esa época. Y que el que quería tus cereales sólo podía ofrecerte cerdos. Pero tú no necesitabas ningún cerdo, pues ya tenías, y lo que necesitabas era una oveja para tener lana y leche, y hacer queso. Pues, en ese caso, quien se quedaba con tus cereales podía darte dinero en vez de un cerdo, y tú podías llevar ese dinero a otra persona que tuviese una oveja. De esa forma, con un primer intercambio ya se beneficiaban tres personas: el del cerdo, el de la oveja y tú, que habías producido cereales.

El dinero se convertía por tanto en un valor intermediario que permitía hacer los tratos más tarde, o añadir a otras personas en esos intercambios.

Por tanto, *cuando tienes dinero no hace falta que hagas el intercambio de inmediato, sino que puedes guardarlo para intercambiarlo por aquello que necesites de verdad.* Y, además, puedes hacer tratos con más personas, a las que tendrás algo que ofrecerles aunque ya no tengas el valor que has producido, como en el caso de los cereales.

El problema está en que, a medida que hemos ido evolucionando, el dinero se ha ido haciendo más abstracto. Ya no se trata sólo de monedas o billetes, sino que puede presentarse en forma de cheques, de anotaciones en una libreta o de transacciones electrónicas con un ordenador, una tarjeta de crédito o con un teléfono móvil.

Actualmente, hemos perdido la capacidad de ser conscientes de que detrás de todo dinero hay una persona que se está relacionando con nosotros. Una persona o miles, tantas que ni lo imaginamos. Y el dinero siempre supone un intercambio, una relación entre personas.

Seguro que te has dado cuenta de ello: hay algo muy humano en ir a una tienda y comprarle algo a un vendedor, como una barra de pan. En ese momento tratas con el panadero, y como a lo mejor lo haces a menudo, te cae bien y te sabe mal si le pasa algo malo, como por ejemplo que le vaya mal el negocio.

En cambio, si compras por Internet, o en un gran supermercado, ya no ves a ese panadero, ni a cualquier otro productor, y ya no te relacionas con él. Porque, aunque no lo veamos, detrás de la oveja o del queso que compramos con nuestro dinero, o con una tarjeta de crédito, hay un vendedor, un distribuidor, un envasador, un productor, un Gobierno que controla todo el proceso y se lleva una parte del dinero, y en último término, el hombre que cría al animal.

Y cuando pagamos por el queso, nos estamos relacionando con todos ellos sin saber de qué forma ni si es justo para todos.

Pros y contras del dinero

Como has visto, el dinero tiene ventajas porque nos permite hacer intercambios más libremente, pero perdemos la noción del valor. Ya sólo se habla de precios, no del beneficio para ambas personas. Y los precios se manipulan desde los mercados para que favorezcan a los que mueven los hilos.

Si, por ejemplo, alguien compra por anticipado toda la producción de leche del año que viene, y se la queda, luego podrá ponerle el precio que quiera. Eso significa que pagaremos más por el queso, mientras que el campesino que ha criado a la vaca recibirá el mismo poco dinero que siempre. El precio habrá aumentado, pero para él el valor habrá sido el mismo.

Por eso, en la actualidad, en vez de intercambiar valor estamos intercambiando precios. Pero esto no tiene por qué ser así. Si volvemos a tener conciencia del valor de las cosas, aunque usemos monedas, billetes o tarjetas de crédito, podremos volver a una economía justa a la vez que moderna.

¿Cómo puedes hacerlo?

Pues muy sencillo. Simplemente, cuando compres el pan o el queso, piensa en todas las personas que han participado en todo el proceso hasta que ha llegado al supermercado, y para quién es injusto ese intercambio y quién se está beneficiando. Lo que debes buscar es que, aquellos que han trabajado más para producir ese queso que tanto te gusta, puedan obtener el beneficio que se merecen y vivir dignamente con su familia.

El dinero es como el agua en la naturaleza: si circula, produce vida. Pero si el agua se estanca, se pudre. El dinero es la fuerza vital de la economía y debe circular. Eso no quiere decir que tenga que hacerlo en fondos de inversión especulativa, como lamentablemente sucede mucho en la actualidad. *Debe circular con conciencia y de forma que todos sepan a dónde va.*

No se trata, por ejemplo, de eliminar a los distribuidores, que son los que llevan los productos a los sitios donde se venden. Existe la creencia de que ganan demasiado dinero en el intercambio, algo que a veces es cierto, pero cumplen un papel importante. Porque si el campesino tuviese que traernos el queso a casa perdería mucho tiempo y él tiene que estar en el campo, cuidando de las vacas. Los distribuidores son necesarios para que los productos que elaboran unas personas puedan llegar a otras que los necesitan.

Lo que sí tiene que haber es un diálogo y unos acuerdos para que la proporción de dinero que se lleva cada uno sea justa y todos podamos vivir dignamente, desde el campesino hasta el distribuidor, y también nosotros mismos. *Tenemos que buscar el beneficio global.*

1.5 LA BOLSA Y LA ESPECULACIÓN

Como te puedes imaginar, el dinero no deja de moverse por todo el mundo. Ahora que tenemos euros, quién sabe por cuántos sitios ha pasado esa moneda que tú tienes en el bolsillo. Y eso es bueno, porque el dinero tiene que moverse.

Si buscamos una metáfora en el mundo natural, *el dinero es como la sangre de la sociedad: tiene que circular y llegar a todo el mundo.* Y la misión del banco y los mercados es que circule adecuadamente. Por desgracia, en las últimas décadas se han hecho inversiones en las que el dinero ha dado muchas vueltas pero no para el beneficio de la sociedad, sino para el beneficio de unos pocos.

Sería como si yo sacara sangre a alguien pero, en vez de usarla para transfusiones, la metiera a dar vueltas en una máquina: lo único que conseguiría es que esa sangre se echara a perder y ya no se pudiera utilizar.

A eso en economía se le llama «especular».

Antes de que se inventaran los ordenadores, y aunque también había especuladores, existía un mercado normal. Las empresas, en vez de tener que pedir un crédito al banco, se dirigían al mercado bursátil, la bolsa, y buscaban quienes quisieran formar parte de ellas. Es decir, buscaban a otros que tuvieran el capital suficiente para que, juntándose, la empresa pudiera crecer y dar beneficios a ambos. De esta forma, los tratos se hacían entre las personas, y todavía había una conciencia sobre el lugar adonde iba el dinero y para qué iba a servir. Igual que con las compras.

Pero ya no es así, como verás a continuación.

La bolsa en la actualidad

Lo que sucede hoy en día es que hay millones de personas en el mundo que, con su ordenador y desde casa, en un mismo día compran y venden acciones de empresas que parecen ir bien y que les prometen beneficios rápidos.

¡Incluso tú podrías invertir en la bolsa!

Pero esas personas que están en casa, invirtiendo ese dinero que han ganado y que quieren multiplicar, como nos gustaría a todos, no saben ni quiénes son esas empresas en las que invierten ni a qué dedican el dinero que les dan.

Y eso no es bueno, porque provoca que cualquier persona que tenga un poco de poder para mover los hilos económicos pueda manipular los mercados.

Para poner un ejemplo, las mismas personas y organizaciones internacionales que en los últimos años han hablado mal de España y del peligro de su economía, son las que consiguen que aumente la prima de riesgo y compran luego la deuda española. De esa forma, sin aportar ningún valor, se benefician del movimiento especulativo del dinero. Así es imposible aportar valor al mundo, y está claro que no aporta conciencia a la sociedad.

Muchas empresas en nuestro país han tenido que cerrar; seguro que tú mismo sabes de alguna. Y muchas no han cerrado porque les fuera mal y no tuvieran clientes, sino porque han sido víctimas del cierre de crédito por parte de los bancos. Es decir, que no tenían a nadie que les prestara capital.

Y sin embargo, el Banco Central Europeo dejó miles de millones de euros a los bancos españoles al 1 % de interés, o poco más, que es muy bajo, para que pudieran dar crédito a esas mismas empresas. Pero los bancos no lo hicieron, porque decidieron que con ese dinero les salía más a cuenta comprar bonos del tesoro español y americano, o hacer otro tipo de inversiones.

Es sorprendente lo que ha sucedido en el mundo de la banca en los últimos años. Cuando las cajas de ahorros y algunos bancos se han hundido por su mala gestión, ha habido que salvarlos con dinero público, es decir, el tuyo, el mío y el de todos. Y una vez saneados, se han vendido a precio de saldo a los pocos bancos que quedaban en el mercado. Es decir, cuando los bancos van bien, ganan sus accionistas y altos directivos; cuando van mal, pagamos entre todos los ciudadanos. Estoy convencido de que existe otra manera de hacer las cosas.

Es fácil especular

En resumen, cuando uno compra acciones de una empresa sin saber nada de ella y sin tener un mínimo interés, está especulando. Mucha gente no lo hace con mala intención, sino porque ve que desde casa puede multiplicar fácilmente su dinero.

Ésa ha sido una tentación que se nos ha ido inculcando como si fuera algo natural: ganar dinero sin esfuerzo y rápidamente.

Pero *si tienes un capital, debes invertirlo con conciencia*. Siempre deberíamos comprar las acciones fijándonos en aquellas empresas que sabemos que hacen algo bueno por el mundo. Por poner un ejemplo, una empresa de madera ecológica que tala árboles, pero luego los vuelve a plantar, sería una empresa con la que deberíamos estar orgullosos de poder asociarnos. No sólo nos beneficiaremos nosotros, sino que ayudaremos a las personas con conciencia y también ayudaremos a la naturaleza.

Nuestro corazón es un órgano que envía a cada parte del cuerpo la sangre oxigenada que necesita, dependiendo de la actividad que estemos llevando a cabo. El corazón tiene conciencia global de todo el organismo, y sabe qué órganos están haciendo más esfuerzo y por tanto cuáles necesitan más oxígeno.

Con la economía debería suceder lo mismo. Debería administrarse con conciencia, y distribuirse de forma que llegara a todas partes y en función de las necesidades reales de cada persona. Pero para eso debemos preguntarnos cómo funciona este inmenso organismo.

Aunque no haya una ley que los obligue, hay bancos conocidos como «banca ética», como Triodos Bank, que han decidido publicar vía Internet, o en revistas y boletines, todo lo que hacen con el dinero de sus clientes. La memoria anual certifica que lo que han publicado es cierto. No tiene que haber nada que esconder. No están en paraísos fiscales, no especulan y no financian a empresas que no sean responsables con las personas y con el medio ambiente.

Y así, sabiendo a dónde va el dinero y decidiendo si es el mejor lugar, volveremos a controlar los mercados, haciéndolos justos de nuevo.

¿Cómo funciona el mercado?

El mercado financiero internacional es el sitio donde se intercambia el dinero a gran escala. Como el mercado del pueblo, pero mucho más grande: un espacio inmenso en el que cada puesto sería el equivalente a la producción de una cosa en algún lugar del mundo. Donde todos ponemos nuestro dinero y éste va de un sitio a otro como en una gran red en la que todos estamos interconectados.

El problema es que ahora mismo no es justo, porque lo controlan los que tienen el poder y la información.

Pero hay algunas cosas muy importantes que debes tener en cuenta sobre este mercado mundial que cambia tanto y que es tan difícil de comprender.

Lo de que el mercado se regula a sí mismo, eso que tanto nos han repetido, no es cierto. Hay dos hipótesis que se utilizan como incuestionables desde el siglo XVIII gracias al importante economista Adam Smith, y que son las siguientes:

1. Existe un mercado libre, donde la gente busca su máximo beneficio personal.
2. Ese mercado libre se autorregula.

Pero ninguna de las dos afirmaciones es correcta. Primero, porque *el mercado no es libre*. Siempre lo manipulan y lo dominan los que tienen el poder o la información. Por eso no es como el mercado de un pueblo, donde el campesino lleva sus manzanas y tú decides si las compras o no las compras. En este mercado mundial, son otros los que deciden lo que se va a vender y cómo, y lo que puedes comprar.

Segundo, *el mercado no tiene la capacidad de autorregularse*. Para regularse debería tener conciencia, y es obvio que no la tiene porque el mercado no es un ser que pueda pensar. Es una cosa abstracta que hemos creado nosotros, y por eso depende del ser humano para su regulación. Para entenderlo fácilmente: cuando encendemos el fuego de la cocina, éste no es capaz de subir o bajar su intensidad en función de si se nos está quemando la comida o no. Somos nosotros los que tenemos que controlar ese fuego para evitar que quede demasiado hecha.

En la actualidad, nuestro sistema de mercado libre no piensa, por ejemplo, que haya que invertir en trigo para que haya suficiente para todo el mundo. Lo único que hace es especular sobre qué precio tendrá al año siguiente, para que entonces se pueda jugar a la oferta y la demanda.

En el mundo está circulando una gran cantidad de dinero, y buena parte es una burbuja especulativa, es decir, que se compran cosas que no existen. Se especula con alimentos, combustibles, minerales, y demás, adivinando qué precio pueden tener esos productos en el futuro, como si fuese una apuesta. Y, además, el que especula puede hacerlo a crédito, es decir, con un dinero que ni siquiera tiene. Eso provoca una subida artificial de los precios y que la gente pase hambre.

¿Quién regula el mercado?

Pues quien regula el mercado es la gente que controla sus manivelas. Es decir, aquellos que tienen el poder y la información. Los presidentes de turno nos han dicho que «los mercados financieros nos mandan». Pero si eso es verdad deberían renunciar e irse, porque lo están haciendo mal. *Quien debería mandar sobre los mercados son los ciudadanos.*

Así que, resumiendo, hay dos maneras de crear riqueza: o bien trabajando la tierra y creando un valor de riqueza, o bien aplicando la inteligencia o el espíritu sobre el trabajo. O lo que es lo mismo, dedicarse a pensar en cómo mejorar el trabajo. Pero el problema de esta segunda manera de enriquecerse, la de pensar, es que no se ha utilizado únicamente para mejorar la calidad de vida del trabajador. Se ha utilizado para enriquecer a unos pocos a costa de esos trabajadores.

Por eso lo más destructivo que hay ahora, lo que más desánimo provoca, es la injusticia del control que ejercen unos pocos sobre el dinero de todos.

Y eso es lo que nos lleva directamente al siguiente tema, el de las crisis económicas.

2
¿QUÉ SON LAS CRISIS?

En esta última crisis muchísima gente ha perdido sus ahorros, y muchos otros se han enriquecido. Seguro que has oído decir a menudo eso de que las desigualdades se han hecho más grandes, que los ricos se han hecho más ricos mientras los pobres se hacían más pobres.

Especulando nunca se puede crear valor pues *para ganar, alguien tiene que estar perdiendo*. Hasta ahora, en vez de desarrollar unos principios de justicia y de fraternidad a nivel económico, se ha partido de la base de que el ser humano es egoísta y que siempre intenta sacar el máximo beneficio personal. Por eso mismo, Adam Smith, a quien se atribuye ser el padre del capitalismo, dictaminó en el siglo XVIII que, ya que cada uno buscaba su propio beneficio, lo mejor era tener un mercado libre en el que la oferta y la demanda fueran la regla. Pero estas dos premisas no son siempre ciertas: *ni el hombre es siempre egoísta ni el mercado es libre, porque siempre hay alguien que lo manipula*.

De hecho, pocos saben que Adam Smith fue también profesor de ética y él mismo decía que «los mercados deben estar presididos por valores éticos, de otro modo habrá riesgos». Y citaba los valores de *prudencia, humanidad, justicia, generosidad* y *espíritu público*. Nos hemos quedado sólo con la primera parte, la famosa anécdota de la mano invisible del mercado. El resultado es que, después de tres siglos, existe un importante desequilibrio mundial que va en aumento.

Las crisis son el resultado de algo que no está funcionando bien y que hay que cambiar. Cuando se empiezan a ver los síntomas de una crisis habría que poner remedio y no esperar a que explotara. Pero eso es lo que ha sucedido.

Para hacer una comparación, pensemos en nosotros mismos. Todos los humanos formamos parte de un organismo que es la Tierra, al igual que nuestras células forman parte de nuestro cuerpo. Un cuerpo no es un mecanismo, es un organismo. Eso significa que cada célula está relacionada con las otras. Cada cosa que pasa en un órgano tiene repercusiones en los demás, y si algo va mal lógicamente esa repercusión es negativa.

Es decir, que si sales al frío sin abrigarte, es posible que vuelvas a casa con dolor de garganta y algo de fiebre. Y si no tomas medidas, estos síntomas pueden agravarse hasta provocarte una gripe, una neumonía y, al final, un colapso en todo el cuerpo que afecte a todos tus órganos y a tu salud global. Y todo porque no tomaste precauciones antes de salir al frío, y luego no pusiste remedio cuando aparecieron los síntomas.

La desaparición del dinero

Lo que ha sucedido a nivel económico mundial es parecido a lo que ocurre con el cuerpo: veíamos que los síntomas de la crisis eran cada vez más graves y al final la enfermedad ha explotado. Y ha sucedido porque el mercado ha estado moviendo el dinero de forma especulativa, simulando que se creaba valor donde no lo había. Y cuando se ha querido utilizar ese dinero que se pensaba que estaba ahí para arreglar las cosas que iban mal, hemos descubierto que no había nada.

Es como si pusieras tu dinero en un bolsillo que tiene un agujero. Cuando quieras usar ese dinero, descubrirás que no lo tienes porque se ha perdido por el camino.

Con los mercados y los bancos ha pasado algo similar: el dinero que hemos depositado y ahorrado en ellos se ha ido perdiendo sin que nos hayamos dado cuenta. Y cuando lo hemos necesitado, ya no estaba ahí.

El blanqueo de dinero

En parte, el dinero ha desaparecido porque algunas personas que tenían mucho se lo han llevado a otros sitios. Seguro que te suena eso de los «paraísos fiscales», donde la gente rica lleva su dinero para no tener que pagar tanto al Estado.

A eso se le llama evasión de impuestos y es la trampa que permitía a las personas que tenían mucho dinero evitar gran parte de las tasas o los impuestos. Pero es una mala decisión, ya que el Estado necesita financiación, que aportamos todos, y que algunos se quieren ahorrar. Y como siempre, muchas veces son precisamente los que tienen más dinero los que menos quieren compartir para buscar el bien común.

Pongamos como ejemplo el caso tan reciente de la Banca Privada de Andorra.

Recientemente apareció la noticia y ha sido un escándalo, pero todo el mundo sabía, y en especial los que trabajaban en la banca, que desde hacía años la gente evadía dinero a Andorra y a otros paraísos fiscales, y que muchas personas eran cómplices en esa evasión, desde funcionarios, policías y guardias civiles, hasta algunos empleados de banca.

En los años ochenta, cuando los socialistas llegaron al poder, los ricos temieron que fueran a quedarse con todo su dinero. De modo que sacaron sus fortunas de España, hacia Andorra entre otros sitios, incluso en mochilas y a través de las montañas. Luego se declaró una amnistía fiscal para que la gente trajera de nuevo el dinero a España.

Ahora, en estos años de crisis, ha vuelto a suceder lo mismo.

Lo cierto es que la codicia no tiene límites, y ése es uno de los motivos por los que nos encontramos en la situación en la que nos hallamos ahora. Pero el blanqueo de dinero no es el único motivo de la crisis, ni el más importante, como veremos a continuación. La infección se ha ido extendiendo y agravando hasta tal punto que ya no sólo está por dentro, sino que ha salido al exterior y ya es visible y tangible para toda la sociedad.

2.1 LOS ESLABONES DE LA CRISIS

Las últimas cifras que leí decían que, a nivel mundial, habían desaparecido del mercado más de tres billones de euros (tres millones de millones de euros). Sin dejar rastro. Esto ha puesto al descubierto que una economía especulativa no es sostenible.

Y el mayor problema, además, es que ha afectado a toda la sociedad, y de formas muy diversas. Como hemos visto antes, el dinero es necesario, porque nos permite conseguir aquello que necesitamos para sobrevivir, y si no lo tenemos puede afectar a todas las facetas de nuestra vida. Que nos falte el dinero a nosotros ya es malo, y aún lo es más que también le falte dinero al Gobierno. Porque entonces los gobernantes no nos pueden ayudar.

Así que ahora, con tanto dinero desaparecido, nos encontramos con que la crisis no es sólo económica, sino que también es política y social.

La crisis financiera

Hemos descubierto que el dinero que la gente había ido ahorrando se invirtió en unos productos bancarios que no han funcionado bien. Y entonces el dinero se ha perdido y los bancos han necesitado rescates. Esto se ha producido en gran medida por la vinculación insana entre política, bancos y grandes empresas, y a la corrupción de algunos de sus representantes que sólo buscan favorecer sus propios intereses.

En los siguientes apartados hablaremos más sobre cómo se genera la crisis financiera, pero podemos avanzar que lo que ha sucedido ha sido como una apuesta. Los que controlan el dinero lo han invertido en productos bancarios con mucho riesgo pero que ofrecían gran rentabilidad, y han perdido esa «apuesta», quedándose sin el dinero que habían invertido.

El problema es que ese dinero que habían apostado era nuestro, de todos, y ahora ya no lo tenemos cuando lo necesitamos.

La crisis política

Esta crisis es el resultado de las malas decisiones que se han tomado en el ámbito económico, y que ha hecho que los políticos centren gran parte de sus programas en defender o arreglar la situación económica en que nos encontramos, y que ellos mismos han provocado.

La crisis política se traduce en unos partidos que hacen lo posible para mantener o recuperar la confianza de las personas, haciendo promesas que no pueden cumplir. Y mientras los políticos se pelean y manejan el dinero como quieren, es la sociedad que los ha escogido la que lo paga.

La crisis social

Es la que afecta directamente a las personas.

Pongamos como ejemplo la burbuja inmobiliaria, que tuvo lugar cuando el precio de las viviendas subió tanto que al final casi nadie pudo pagarlas. Esto hizo que la gente no pudiera comprar viviendas, especialmente los jóvenes. Y como ya no había demanda, no tenía sentido construir más casas y toda esa gente que trabajaba en la construcción, como obreros y albañiles, se quedaron en el paro.

En consecuencia, existe una generación entera de personas jóvenes con muchas ganas de tener una casa pero con pocos recursos para pagarla, con mucho tiempo por delante pero sin medios para labrarse un futuro. Son millones de personas que están estancadas debido a la situación que les ha tocado vivir.

Estoy hablando de tu generación.

Antes había trabajo de sobra para todos, y todo el mundo podía comprarse una casa y formar un hogar. Ahora los jóvenes os encontráis con una buena educación, muchas ganas de hacer cosas, pero sin medios para hacerlas. Y eso afecta a toda la sociedad.

Otros eslabones de la crisis

Estas crisis en los ámbitos social, financiero y político, además, conllevan otro tipo de crisis:

Crisis personal. La que sufre cada persona al verse en una situación de apuro, en la que no sabe cómo seguir adelante. Como los padres de familia que se quedan sin trabajo, personas mayores que ven desaparecer sus ahorros o sus pensiones, jóvenes sin medios para cumplir sus sueños… Son muchas las personas para quienes la crisis económica se ha convertido en una crisis personal.

Crisis de salud. Muy ligada a la anterior, es la crisis del cuerpo y de la mente. En situaciones como la que nos encontramos, es terriblemente habitual que aumenten los casos de depresión, ansiedad, estrés, desórdenes alimenticios, alcoholismo o abuso del tabaco, entre otros. Y estas enfermedades llevan otras asociadas, como el riesgo de padecer infartos o de desarrollar un cáncer o una enfermedad mental acusada. Lo que habría que hacer es solucionar el problema de raíz, y eso pasa por asegurar el futuro y la calidad de vida de todas las personas.

Crisis del mundo natural. En periodos como éste, en que tan preocupados estamos por solucionar nuestros propios problemas, apenas tenemos tiempo ni energía para observar lo que sucede más allá. De hecho, muchos partidos ecologistas han perdido influencia.

Por eso, nuestro avance tecnológico y el materialismo causan estragos cada vez más graves en el mundo natural.

Estamos creando una situación de desequilibrio ecológico que, si no solucionamos pronto, quizá ya no se pueda arreglar. Por eso hay que empezar a pensar otra vez en el mundo natural.

Crisis de equilibrio. En situaciones como ésta no nos encontramos sólo con que el mundo natural sufre, sino que también lo hace el mundo humano. Ahora más que nunca, existe un increíble desequilibrio entre los diferentes pueblos que habitan el planeta. El primer mundo es cada vez más rico y elitista, y el tercer mundo más pobre y vulnerable.

Estas últimas personas resultan cada vez más perjudicadas. Trabajan mucho y nos dan sus materias primas ganando muy poco; usamos sus países como almacenes y basureros, y sólo nos acordamos de ellos cuando sucede alguna desgracia, volviéndolos a olvidar cuando ya no son titulares en las noticias.

En los países donde aún estamos bien, ni nos imaginamos cómo se vive en los países que están realmente mal.

La crisis como un todo

Yo pienso que todas estas crisis están muy relacionadas, especialmente con la crisis de conciencia. Si no abrimos nuestra mente para ver todo lo que sucede y qué podemos hacer para ayudar, no habrá forma de solucionar estos problemas.

Pero para poder hacerlo, necesitamos una mínima seguridad y estabilidad personal. Muchísimas personas intentan cambiar las cosas a lo largo y ancho del mundo. Manifestaciones, caceroladas, acampadas, fiestas reivindicativas, huelgas… Las personas se reúnen para decir lo que piensan, para intentar cambiar las cosas, y lo hacen por sí mismas pero también para ayudar a los demás, para ponerse del lado de personas que sufren, a las que no conocen, y que a lo mejor se encuentran al otro lado del mundo. Porque nuestro espíritu nos lleva a entender a los demás y querer ayudarles.

Pero cuando después de manifestarnos, de salir a la calle, de sufrir e incluso de sangrar, vemos que las cosas continúan igual, nos sentimos frustrados. Aquí es cuando muchas personas vuelven la espalda a las causas, porque sienten que no pueden cambiar nada, que están perdiendo su tiempo y su energía, y quizá su dinero, en luchar por algo que no tiene salida.

Y estas renuncias son aún más habituales cuando las personas padecen sus propias crisis personales, que derivan de la crisis financiera que les ha tocado vivir.

Para que la gente pueda seguir luchando por lo que es justo a nivel global necesita tener una situación que no sea precaria. Y eso pasa por usar bien el dinero, y que cada persona pueda tener la parte que le corresponde.

Por eso la economía afecta a gran escala y en tantos ámbitos de la sociedad. Pero todos podemos hacer algo para cambiar esto si nos lo proponemos. Incluso tú, aunque seas joven.

2.2 LA CRISIS FINANCIERA ACTUAL

La crisis actual, en nuestro país, ha sido muy grave y ha afectado a muchas personas, tanto a jóvenes como a adultos. Muchos que ya tenían un trabajo y una vida estable y que veían su futuro asegurado, han visto cómo eso se tambaleaba y el dinero desaparecía. Y lo mismo ha sucedido con los jóvenes que entraban por primera vez en el mundo laboral: pocas oportunidades, falta de medios económicos para iniciar un proyecto de vida...

Es muy posible que a ti, que te estás formando ahora, también te afecten los coletazos de esta crisis.

Ya hemos visto una de las causas de la desaparición del dinero, la del blanqueo, pero no es la única. Hay más y de diversos tipos, como veremos a continuación.

La falta de una buena gestión

Una de las consecuencias de la crisis actual es que han desaparecido, por ejemplo, las cajas de ahorros.

Este tipo de entidades financieras quebraron, y en parte fue porque estaban politizadas. En todos sus consejos de administración había representantes de las comunidades autónomas, las diputaciones y similares. Incluso algunos exministros llegaron a ocupar el cargo de presidentes de algunas entidades; es fácil entender que sus decisiones estuvieran influenciadas por los intereses de su partido.

La cconomía y la política, por tanto, deberían estar separadas. No deberían gestionarlas las mismas personas. Cuando oigo decir que «hay que nacionalizar la banca», yo pienso que no tienen ni idea de lo que están diciendo. Nacionalizar significa politizar, y las cajas de ahorros quebraron precisamente porque estaban politizadas.

Imagina que tú no sabes nada de informática, pero se te ha estropeado el ordenador y quieres intentar arreglarlo tú mismo, aunque no sepas. Tarde o temprano conseguirás que se estropee del todo en vez de hacer que vuelva a funcionar, precisamente porque no sabes cuál es el problema ni cómo tienes que arreglarlo. Parece lógico, ¿verdad?

Pues lo mismo estaba pasando con las cajas de ahorros. Aquellos que se encargaban de controlarlas y hacerlas funcionar no estaban capacitados para hacerlo por falta de experiencia y conocimientos. Y así un banco no puede funcionar.

La falta de conciencia

En nuestro caso, sin embargo, ha ocurrido algo más. Y es que nosotros seguro que querríamos arreglar el ordenador con las mejores de las intenciones, porque es nuestro y lo necesitamos. O si es el ordenador de otra persona, seguro que intentaríamos hacerlo tan bien como con el nuestro para poder ayudarla. Porque entendemos el problema que supone estropearlo aún más. Es decir, que tenemos conciencia y conocemos el valor que el ordenador tiene por sí mismo y para la otra persona.

Pero hay personas que, como no es su ordenador, les da igual si lo arreglan o lo estropean aún más. Personas sin escrúpulos ni ética que no pensarían en cómo afectan sus decisiones a los demás. Y esto es precisamente lo que ha sucedido con aquellos que se encargaban de los bancos. Han sido egoístas con el dinero de los demás.

La falta de soluciones

¿Y por qué no han tomado medidas si los síntomas de la crisis eran obvios?

Pues porque no interesaba.

Volviendo al ejemplo del ordenador, pongamos que lo llevas a un informático porque sabes que tú no puedes arreglarlo. Pero confías en que él, como sabe de ordenadores, lo arreglará bien. Lo que sucede es que, para tener menos gastos, el informático usa piezas de mala calidad. Quizá otro trabajador se da cuenta y le parece mal, y se lo dice al jefe. Pero como al jefe le parece bien que se reduzcan costes sea como sea, no hace nada al respecto. Así que mientras tú piensas que se están ocupando bien de tu ordenador, el jefe del taller se está beneficiando a tu costa. Y los que lo saben, poco pueden hacer. No te gustaría nada si te enteraras, ¿verdad?

En el mundo financiero ha pasado algo parecido: los que dirigían los bancos los administraban para beneficiarse, era un secreto a voces. Estoy convencido de que los inspectores del Banco de España, encargados de supervisar periódicamente a los bancos y cajas de ahorros, denunciaban este tipo de cosas cuando las detectaban. Pero, ¿qué sucedía? Que los que recibían la denuncia en el Gobierno ya sabían que eso estaba pasando, porque ellos mismos lo permitían. Por tanto lo archivaban y no hacían nada.

Yo estoy seguro de que los inspectores del Banco de España hacían bien su trabajo, que intentaban que todo funcionara de verdad. En un mundo ideal, cuando el Gobierno recibiera un informe así, éste tomaría medidas inmediatas contra los responsables: ése despedido, aquél a la cárcel... y así se arreglarían muchas cosas. Eso es lo que tendría que hacer un político: garantizar los derechos de las personas y que nadie vulnere la ley.

Pero en vez de eso, lo que pasaba es que esos políticos que tendrían que haber tomado medidas estaban metidos en el meollo. Eran los mismos que se beneficiaban o que recibían los créditos del banco. Así que no querían que eso se acabara.

Y así la epidemia se ha ido extendiendo y ha ido empeorando hasta encontrarnos con la enfermedad económica que nos afecta ahora.

2.3 LA EPIDEMIA DE LA CRISIS

La crisis ha afectado a muchas personas. Y no sólo a los jóvenes, que no tienen medios para ahorrar dinero, sino también a muchas personas mayores que han visto cómo su dinero se evaporaba. Y esto ha sucedido, en gran parte, por la aparición de las llamadas «preferentes».

Las participaciones preferentes son un mecanismo por el que una persona puede ser algo así como un accionista de una caja de ahorros. En realidad, las cajas de ahorros no tienen propietarios, no tienen accionistas, pero se ideó esta fórmula para conseguir dotarlas de capital y que tuvieran más solvencia. Cuando tienes estas participaciones preferentes, entras a formar parte del banco como si fueras accionista, pero no las puedes vender en la bolsa.

Eso significa que te pagan un dinero cuando el banco gana, y eso es bueno, pero también significa que te verás afectado en caso de que el banco vaya mal. Y como eres un pequeño preferentista, serás uno de los que menos derechos tengas y, por tanto, de los que se verán más afectados.

Algunos clientes con grandes cantidades invertidas, o que estaban bien relacionados, fueron avisados a tiempo para que lo vendieran en el mercado interno a otros clientes y así evitar las pérdidas. Pero si tú no tenías a nadie que te diera el chivatazo, lo perdías todo.

Durante un tiempo, se hacían muy pocas participaciones preferentes. Sólo se vendían, como su propio nombre indica, a clientes preferentes que pasaban a ser socios con deberes y derechos. Es decir, se ofrecían a los clientes VIP y como un trato preferencial; eran clientes que tenían mucho más dinero y no dependían de esas cantidades pequeñas. ¿Cómo se convirtieron entonces en el quebradero de cabeza que son ahora para tantas personas?

Pues, otra vez, por la avaricia y la mala fe. La perversión de las preferentes llegó cuando empezaron a venderse en grandes cantidades a cualquier tipo de cliente, poco antes de que los bancos estuvieran a punto de quebrar. Así se obtuvo más dinero que luego nunca habría que devolver.

Y eso es lo que ha afectado a tanta gente: en vez de ver crecer su dinero, que tanto se han esforzado por ahorrar, han presenciado cómo desaparecía a causa de la mala gestión y la mala fe.

La crisis del dinero público

Esta última crisis, que ha sido tan global y ha afectado a tanta gente, ha provocado una gran indignación en la población. Si tu propia familia no ha tenido problemas, seguro que conoces a alguien que sí los ha tenido. O has visto cómo cada vez más gente lo pasaba peor.

Una de las grandes pérdidas que hemos tenido a causa de la caída de las cajas de ahorros es la gran labor cultural y social que realizaban. Muchas de estas cajas tenían más de un siglo, y a lo largo de todo ese tiempo habían hecho una gran labor de trabajo social, desde bibliotecas a clubs sociales para las personas mayores, o becas para los jóvenes.

Y no sólo se ha perdido gran parte de eso, sino que hemos tenido que sanearlas con dinero público. Como si tú mismo hubieses tenido que poner dinero para cambiar la empresa informática que te arreglaba el ordenador con piezas de mala calidad.

Entonces, ¿por qué hemos saneado a estas cajas de ahorro?, podrías preguntar.

Si las hubiésemos dejado quebrar, a la mayoría de las personas no les habría pasado nada. Porque existe un Fondo de Garantía que cubre hasta cien mil euros por persona, y la mayoría de nosotros no tenemos ese dinero en el banco ni mucho menos. Es decir, que la mayoría hubiésemos recuperado lo que teníamos invertido.

Pero las personas ricas, las que tienen millones y millones, lo hubiesen perdido todo por encima de esos cien mil euros. Y como precisamente muchas de esas personas mueven los hilos y tienen el poder y la información, no iban a permitir que eso pasara. Había que protegerles para que no perdieran sus fortunas. Por eso había que hacer algo, es decir, sanear las cajas.

Y una vez saneadas, esas cajas las han comprado a precio de saldo los bancos que quedaban. Han hecho el negocio del siglo.

Resumiendo, ese saneamiento ha beneficiado sobre todo a los clientes millonarios, a los que ya se favorecían antes de que quebraran. Es decir, que el dinero público ha servido para favorecer, otra vez, a unos pocos.

La crisis de todos

Como hemos visto, gran parte de la crisis se debe a la insistencia en proteger a unos pocos, a esos que tienen las fortunas y el poder.

Si hubiese dependido de mí, yo habría dejado quebrar a algunas de esas cajas de las que hemos hablado. Y, además, desde el principio. Eso habría hecho que los que tienen el poder dejaran de sentirse tan protegidos e invulnerables.

Lo bueno es que no soy el único que piensa así. Cada vez hay más gente que se interesa por lo que sucede con el dinero de todos, por esos privilegios que tienen unos pocos, y por la injusticia en la que vivimos.

Ahora nos damos más cuenta de lo que ocurre. La crisis ya no es sólo algo de lo que se habla en las noticias, sino que está a nuestro alrededor. Quizá la estás sufriendo en tu casa o en la de algún amigo, cuyos padres o hermanos se han quedado sin trabajo. La crisis ya no es un virus lejano y desconocido, sino que está muy cerca y puede afectarnos.

Pero lo bueno es que nos estamos volviendo conscientes, y queremos soluciones para que no se extienda más ni vaya a peor.

Se ha encendido una chispa necesaria para el cambio, para acabar con el sistema que nos lleva a este tipo de crisis. El único impedimento es que también existe otra crisis: la crisis de la conciencia. Por suerte las nuevas generaciones, los jóvenes como tú, podéis marcar la diferencia en este sentido.

No me cansaré de repetirlo: *hay que tomar conciencia de la forma en la que manejamos la economía*. Y para eso tenemos que tener claro que las tres cosas principales que hacemos con el dinero son:

- *Comprar:* usarlo para obtener cosas.
- *Ahorrar:* guardarlo para más adelante.
- *Donar:* para ayudar a los demás.

En los siguientes capítulos verás la gran importancia que tiene saber qué pasa con tu dinero en cada una de esas tres situaciones, y cómo, haciéndote unas simples preguntas, puedes ayudar a crear ese mundo mejor en el que a todos nos gustaría vivir.

3
¿QUÉ COMPRAMOS?

Cuando doy conferencias y charlas, siempre digo que el dinero es una forma de relación o intercambio con otras personas. Yo prefiero la palabra *relación* a la de *intercambio*, porque no sólo se trata de un intercambio material. A veces, lo que intercambiamos son servicios e ideas. Es decir, que puedes usar el dinero para comprar un mueble que ya está hecho, o puedes usarlo para contratar a un diseñador que lo idee y a un ebanista para que lo fabrique. En el caso del diseñador, estarás pagando por un servicio y una idea más que por algo material.

Lo importante del dinero es que, siempre que lo usas, tiene influencia en tres ámbitos distintos:

1. Sobre ti mismo como persona.
2. Sobre las otras personas.
3. Sobre el planeta.

Y todos ellos son igual de importantes y prioritarios. Por tanto, cada vez que utilices el dinero en cualquiera de las tres formas que hemos mencionado, ya sea para comprar, para ahorrar o para donarlo, tienes que hacerte una serie de preguntas. Y estas preguntas te ayudarán a tener conciencia de cuáles serán las consecuencias del uso de ese dinero.

En despertar la propia conciencia está la clave que hará que poco a poco vayas tomando las riendas sobre tu economía. Las preguntas que nos hagamos sobre cómo usamos el dinero nos traerán conciencia, y con la conciencia llegará el bienestar. El nuestro y el de los demás.

Preguntas que hay que hacerse al comprar

A la hora de comprar, hay tres preguntas básicas que debes hacerte para tomar conciencia. Son preguntas sencillas que, si les das unas pocas vueltas, te llevarán a pensar a gran escala y a tener conciencia de tu posición en el mundo. Al hacerte estas preguntas, verás que eres el último eslabón de una cadena larga que se bifurca y se extiende, y que llega hasta la mismísima tierra.

Pero esto tiene un peligro. Si te preguntas a dónde va tu dinero cuando compras algo, ya sea un producto o un servicio, sentirás cómo despierta tu responsabilidad hasta el punto de que podrías sentirte abrumado. Pero eso es bueno. Ser realmente consciente de lo mucho que puedes influir en el mundo, aunque te asuste, te ayudará a convertirte en una persona mejor.

¿Y cuáles son esas preguntas que debes hacerte? Pues son las que siguen a continuación:

1. ¿Cuál es el origen de lo que estoy comprando?
2. ¿Es una necesidad real?
3. ¿A quién estoy beneficiando al final?

En los siguientes apartados vamos a explorar cada una de estas preguntas en detalle. Ya verás cómo esas simples preguntas te llevarán a otras que pueden ayudarte a ser consciente del valor del dinero.

3.1 ¿CUÁL ES EL ORIGEN DE LO QUE ESTOY COMPRANDO?

Cuando te preguntas qué estas comprando, debes tener en cuenta varias cosas.

Por un lado, tienes que preguntarte de qué está hecho eso que has comprado. Es decir, que debes preguntarte cosas como:

- Si los materiales que se han usado son ecológicos.
- Si son sintéticos y si, al producirlos, dañan el medio ambiente.
- Si son un bien que debería protegerse, como los árboles o los mares.
- Si para que tú tengas ese producto otra persona o el planeta están sufriendo.

Pongamos por ejemplo que quieres un escritorio nuevo para estudiar. Si hicieras un uso consciente del dinero, te preguntarías de dónde procede la madera que se ha usado para hacerlo. Si la madera viene del Amazonas, por ejemplo, es muy probable que al comprar ese escritorio estés contribuyendo a la deforestación, y a la pérdida de ese gran medio natural que es tan necesario para nuestra respiración y para la conservación de las especies.

El dato triste es que cada año se talan diecisiete millones de hectáreas de bosques y selvas naturales. Y muchos de los productos que se producen de esa forma acaban en nuestros hogares, en nuestras oficinas o en los lugares adonde vamos. Además, de esas hectáreas perdidas se replantan siete con monocultivos que hacen que se pierda toda la biodiversidad que había en esa zona.

¿Y por qué lo hacen?, podrías preguntar. ¿Porque son personas malignas, como los villanos de las películas?

No, la respuesta es mucho más sencilla. La respuesta es *simplemente que lo hacen porque nosotros les compramos la madera*. Ellos ofrecen lo que nosotros les pedimos, como en la ley de la oferta y la demanda, porque lo que hasta ahora nos ha importado al comprar un escritorio o un armario es si podemos pagarlo y si va a quedar bien en casa.

Por lo tanto, al comprar muebles hechos así se contribuye a la destrucción del equilibrio natural del planeta. Los datos dicen que la mayor parte del cambio climático proviene de las cosas que hay que hacer para fabricar productos a gran escala. Pasa lo mismo con la agricultura extensiva, o con todo ese ganado que hay que criar para producir hamburguesas... Eso es lo que más está matando al planeta.

Pero si en vez de actuar así de inconscientemente, te preguntas de dónde viene lo que compras, la cosa cambia. *Si buscas productos ecológicos y sostenibles estarás contribuyendo a mantener sano el planeta en el que vivimos*. No debemos olvidar que es el único que tenemos, que aún no han conseguido hacer habitable Marte, y que por tanto es en el que tendréis que vivir tú y las generaciones que vengan después.

La compra ética

Volviendo al escritorio que querías comprar, si te preguntas de dónde viene la madera y buscas un escritorio hecho de madera sostenible, ya estarás contribuyendo mucho. Porque esa madera sostenible vendrá de una empresa ecológica que vuelve a plantar todos los árboles que utiliza, y no sólo te estarás beneficiando tú de esa mesa tan ética, sino también todo el planeta.

Y, por otro lado, es igual de importante que te preguntes cómo está hecho ese producto. Es decir:

- Si la fabricación sigue las normas de seguridad y de conservación del medio natural.
- Si los productos utilizados son dañinos o no.

En el caso del escritorio, lo que tendrías que hacer es preguntarte dónde y cómo lo fabrican. Es decir, si utilizan medios de fabricación que busquen ser energéticamente eficientes, si producen los menos desperdicios posibles, y si los productos utilizados, como por ejemplo el pegamento, puede dañarte a ti, al trabajador o al medio ambiente.

Si hiciéramos eso para cada cosa que compramos, y animásemos a otros a hacerlo, imaginaos el gran cambio que podríamos crear. Estaríamos creando *una marea de compra ética que obligaría a las empresas a cambiar la forma que tienen de hacer las cosas.*

Ya se ha dado un gran paso en ese sentido, por ejemplo, con los productos testados en animales. ¿Cuántas son las empresas que ya no lo hacen porque la gente lo exigió? Y todo empezó seguramente con unas cuantas personas que veían mal que probasen los cosméticos en los animales, personas como tú o como yo.

En ese sentido, aún adquiere mayor importancia el concepto de alimentación ecológica, o sea, la agricultura y ganadería ecológicas. Para poder producir más y ganar más dinero, se ha ido extendiendo por todo el mundo la costumbre de utilizar fertilizantes químicos para la tierra de cultivo, pesticidas para eliminar plagas, y productos transgénicos que generan una total dependencia en los agricultores y que tienen consecuencias nefastas para la Tierra.

Si nos preocupamos por conocer cuáles son los procesos naturales y aprendemos a vivir en armonía con la naturaleza, en vez de destruirla, cultivaremos productos que nos ayudarán a mejorar nuestra calidad de vida.

Los pesticidas, los fertilizantes químicos y los transgénicos son perjudiciales para nuestra salud y para el medio ambiente, y resultan mucho más caros aunque eso quede disimulado por las subvenciones que reciben.

No tiene sentido consumir comida de lugares lejanos sin saber cómo se ha producido ni en qué condiciones laborales, cuando cerca de nosotros la podemos encontrar de muchísima más calidad y nos ahorramos todos los costes y la contaminación que implican los transportes.

Para una alimentación natural y consciente sólo deberíamos tomar alimentos ecológicos, el resto debería tener impuestos muy altos por los problemas que provocan en el mundo. Actualmente, los alimentos ecológicos ya llevan una certificación que garantiza que la producción se ha hecho respetando la normativa ecológica, y cada vez se abren más tiendas en las que se pueden adquirir estos productos.

3.2 ¿ES UNA NECESIDAD REAL?

Otra de las preguntas que debes hacerte es para qué o por qué estáis comprando las cosas que metéis en vuestro carro de la compra, o en la llamativa bolsa de la tienda en la que estás con tu familia o tus amigos.

Antes, no hace tanto tiempo, las personas subsistían con menos cosas y eran igual de felices. Quizá incluso más que ahora, porque no tenían esa obsesión que nos imponen hoy en día de comprar, comprar y comprar. No dependían tanto del qué dirán los demás si, por ejemplo, su teléfono no era el más nuevo que hay en el mercado.

Antes se compraban unos muebles que duraban para toda la vida. Teníamos una tele, si es que se tenía, y alrededor de ella se sentaba toda la familia. También se consumían muchos más productos naturales y de temporada, y no se abusaba tantísimo de la carne. Actualmente se consume demasiada carne, y eso es malo no sólo para nuestra salud, sino también para el medio ambiente, que no puede soportar tanta ganadería intensiva.

Y lo mismo sucede también con muchísimas otras cosas.

Comprar por comprar

Después de muchísimos años en la banca, no os creeríais lo que he llegado a ver. Gente que acumula trastos, que colecciona cosas imposibles, o compra cosas carísimas que no necesita incluso cuando le cuesta llegar a final de mes.

¿Y por qué lo hacen? ¿Por qué compramos tantísimas cosas que muchas veces no necesitamos?

Pues porque el consumismo está a la orden del día. Incluso se ha creado una palabra especial para nombrarlo: el *shopping*, ir de compras. Y como yo digo, lo que hace la gente es salir a comprar por comprar. Es decir, que salen con la intención de comprar algo, lo que les llame la atención, por mucho que no necesiten nada. Así se sienten más llenos, más poderosos, pero ese materialismo no da la verdadera felicidad.

Piénsalo, ¿has comprado alguna vez algo que en realidad no necesitabas?

Que podamos comprar las cosas no quiere decir que tengamos que hacerlo. Pero los medios de comunicación, el mercado, las modas sociales y la necesidad de no ser menos que los demás nos animan a estar comprando cosas constantemente. Entre otras cosas nos pasamos comprando:

Productos alimentarios caros, como patatas fritas o productos gourmet que no ayudan en nada a nuestra salud.

Suplementos de todo tipo, que no necesitamos y que a veces nos hacen más mal que bien: suplementos vitamínicos, energéticos, quemagrasas..., muchos de los cuales nos podríamos ahorrar si comiéramos de forma sana y ecológica.

Medicamentos. Los usamos para todo, desde un leve dolor de cabeza hasta para tranquilizarnos tras un día de estrés. Obviamente los medicamentos son necesarios para las enfermedades serias, pero muchas veces los usamos sin necesidad. Porque nos lo dice la tele y porque están a nuestro alcance. Pero muchas veces podríamos sustituir los medicamentos por buenas costumbres.

Cosméticos. Para tener ese buen aspecto que nos dicta la sociedad. Cada vez más, tenemos anclada en el cerebro la idea de que para demostrar nuestra valía debemos tener el aspecto impecable que dicte la moda en ese momento. Y la mayoría de las veces para conseguirlo tenemos que hacer uso de gran cantidad de cremas, tintes, maquillajes, productos depilatorios y demás. Productos que muchas veces contribuyen al deterioro no sólo de nuestro cuerpo, sino también del medio natural.

Ropa. Acumulamos tanta ropa que muchas veces, al final, no utilizamos ni la mitad de lo que tenemos en el armario. Coleccionamos muchísimos modelos, de todos los tipos y colores. Hay quien cambia la ropa cada año, e incluso cada temporada si sigue la moda. Pero deberíamos preguntarnos si es necesaria tanta ropa, y cómo la podemos conseguir tan barata. La respuesta es que muchas veces esa ropa procede de empresas que promueven la explotación del trabajador, que a menudo son niños que de otra forma no pueden subsistir. Antes, la ropa pasaba de hermanos mayores a hermanos pequeños, e incluso pasaba a los primos y a los vecinos. Ahora eso está casi mal visto, y se despilfarra.

Coches. Hay muchas familias que tienen más de un coche, y que en realidad podrían hacer la mayoría de sus trayectos caminando, en bicicleta o utilizando el transporte público. Además, muy a menudo no se esperan a que al coche le toque jubilarse para cambiarlo, sino que lo hacen en cuanto aparece un modelo que les gusta más o que tiene los extras de tecnología sin los que de repente parece que no podemos funcionar.

Y cómo no, la *tecnología.* La gran alimentadora del consumismo de nuestra época. Debido a la velocidad a la que avanza, y el estatus que representa tener lo último y lo mejor, compramos un teléfono tras otro, una *tablet* tras otra, sin esperar a que el otro aparato ya haya cumplido su ciclo de vida. Antes sobrevivíamos teniendo un único teléfono en casa, y ahora tiene uno cada miembro de la familia. Y, como muchos estudios demuestran, eso no ha hecho que mejore la comunicación entre las personas. De hecho, parece que cuantos más bienes materiales acumulamos, menos valor le damos a las relaciones humanas. Seguro que conoces a alguien que está siempre pegado al móvil, ¿verdad?

Lo que pasa cuando compro sin pensar

En nuestra sociedad actual, gastamos una cantidad ingente de dinero que, la mayor parte de las veces, no contribuye a que seamos más felices. Y no sólo eso, sino que además todo lo que tiramos, todo lo que desechamos para darnos el capricho de tener cosas nuevas, se acumula en los grandes vertederos del planeta. Muchos materiales son muy costosos de reciclar, y con otros es imposible hacerlo. Así que casi cada cosa que descartamos queda abandonada en algún lugar. Y muchas, lamentablemente, son tóxicas para las personas o para el medio natural.

Pongamos el ejemplo del plástico, uno de los elementos que contamina más el planeta. Hoy en día existe algo terrible conocido como el octavo continente. Se trata de un continente de residuos de plástico que se encuentra en la costa del Pacífico, entre California y Hawái, y que mide aproximadamente tres millones de kilómetros cuadrados. O lo que es lo mismo, unas siete veces el tamaño de Francia. Lo llaman el *Great Pacific Garbage Patch*, o isla de basura del Gran Pacífico. Los desperdicios que se acumulan en ella se mantienen a flote porque es plástico, con unos cincuenta metros de profundidad, y las corrientes los mantienen en esa zona.

Para mí es una imagen terrible de la gran estupidez humana. La consecuencia directa de este continente de desperdicios es que las aves y los peces que se alimentan de esa porquería mueren. Otro problema derivado de esto es que cada vez nacen más niños con problemas neurodegenerativos provocados por las partículas de plástico. Y eso es lo que ocurre con todo aquello que nosotros, sin darle muchas vueltas, descartamos para comprar algo nuevo.

Por eso, por todas estas consecuencias desastrosas, es muy importante que te preguntes para qué compras algo antes de lanzarte a la tienda. Antes de sacar el monedero, la hucha o la tarjeta, deberías preguntarte para qué lo compras. Es decir, preguntarte cosas como:

- ¿Lo necesito de verdad?
- ¿Es sólo un capricho?
- ¿Lo compro para sentirme mejor?
- ¿Podría pasar sin ello?

Así, si meditas un momento sobre si vas a ser más feliz con ese producto o si puedes ahorrarte esa compra, estarás dando un paso hacia el cambio. Te liberarás del consumismo y de la idea de que tu valía personal depende de las cosas que tienes. Ayudarás a tu bolsillo, y a todo el planeta. Y si das ejemplo, si convences a tu familia de hacer lo mismo, estarás creando conciencia y haciendo de este planeta un mundo mejor.

3.3 ¿A QUIÉN ESTOY BENEFICIANDO AL FINAL?

A continuación, lo que tienes que preguntarte es a quién o a qué estás beneficiando al comprar un producto.

Hay un eslogan publicitario que refleja muy bien esta situación en la que nos encontramos ahora, y que es aquel que dice: «*Yo no soy tonto*». ¿Te suena? Lo que busca este eslogan es que creamos que somos más listos por comprar sólo lo que es más barato. Es decir, que no nos dejemos engañar con precios caros. O mejor aún, que si podemos evitarlo, no paguemos el precio justo de las cosas si podemos pagar menos y ahorrarnos unos euros.

Seguro que te ha pasado alguna vez que, por ejemplo, has comprado un paraguas que a la primera ventada te ha dejado chorreando o una camiseta barata que se ha agujereado enseguida.

Con esta filosofía, cuando termines los estudios y encuentres un trabajo, si te pagan una miseria no tendrás derecho a quejarte. Porque el dueño o la empresa tampoco «son tontos» y si te pueden pagar un salario de risa, ¿para qué pagarte uno digno?

Si no quieres encontrarte en esta situación, empieza cambiando la manera en la que compras.

Comprando «lo más barato», muchas veces estamos contribuyendo a que la economía vaya a peor. No sólo a nivel mundial, sino también para nosotros.

Lo barato sale caro

A mí me gusta mucho más el refrán que dice *Lo barato sale caro*.

Comprar, y por tanto también producir lo más barato, suele ser el resultado de una falta de conciencia a la hora de crear el producto. La mayoría de las veces, *esos euros que nos ahorramos se los están quitando a otra persona*.

Si lo que es barato sale caro para todos es porque:

- Se utilizan materias de mala calidad, que al final fallan más fácilmente.
- Las empresas se sirven de cualquier proveedor para sacar el máximo beneficio. Es decir, que no miran de dónde viene la materia prima, sino sólo dónde la obtienen más barata.
- Los empresarios explotan a sus empleados para que cobren poco por producir mucho.
- No hay miramientos a la hora de coger lo que nos da la tierra, sin pensar en mantener el equilibrio ecológico.

Así, con malas artes y falta de responsabilidad y de ética, es como se obtienen muchas veces esos productos tan baratos.

Lo que pasa es que esa forma de actuar, ese lema que se ha impuesto la sociedad de «yo no soy tonto», no sólo afecta al planeta y a los trabajadores explotados, sino también a nosotros. Y no me refiero únicamente a que se nos rompa el paraguas en una tormenta. Me refiero a que nosotros también podemos ser víctimas de esa explotación que padecen las personas y la Tierra.

Aplicando el lema de comprar lo más barato, sin importar de dónde venga, estamos creando una sociedad en la que todo el mundo mira por su propio beneficio sin pensar en los demás. Y el mayor problema es que *cuando pagamos algo muy barato, hay un precio oculto que lo estamos pagando todos, o socialmente o medioambientalmente.*

Si el jefe de tu padre o de tu madre, o de los padres de tus amigos, les paga poco dinero, es porque él tampoco es tonto. ¿Por qué va a pagar más, aunque ellos se lo merezcan, si hay miles de parados en España que seguro que aceptarían un sueldo como ése o más bajo con tal de trabajar?

De este modo, ellos están igual de explotados que los trabajadores que producen lo más barato para nosotros. Porque, si la empresa puede hacerles trabajar con más esfuerzo y durante más horas para que resulten más rentables, ¿por qué no va a hacerlo?

Pongamos un ejemplo. ¿Te gusta la fruta? Pues en Lleida se producen toneladas de melocotones, peras y manzanas que hay que tirar, porque nadie las compra, mientras traemos importadas esas mismas frutas desde otros países.

¿Por qué? Pues porque parece más barato así. Porque esa fruta importada viene de países más pobres que producen muy barato, explotando a sus trabajadores y la tierra, y nos aprovechamos de ello.

Parece que nos sale más barato traer esa fruta de fuera que comprarla al precio justo en nuestro país. Otro mecanismo es contratar a trabajadores del África subsahariana a los que explotan con unos salarios y unas condiciones que no aceptarían los trabajadores españoles, todo para recortar gastos.

Pero eso sólo parece más barato porque eso tiene un precio oculto. Por un lado, tiene el precio social de que la gente de Lleida se queda sin trabajo. Y, por otro lado, tiene el precio medioambiental de la cantidad de fruta que se tira aquí mientras explotamos otros países para que la produzcan.

Si nos preocupáramos de entender a qué empresa estamos comprando nuestros productos o servicios, saldríamos beneficiados todos.

Por tanto, para ser listo de verdad, lo que tendrías que hacer es comprar con conciencia. De esa forma favorecerías:

Tener productos de calidad, que sean duraderos. Porque muchas veces esos productos tan baratos se estropean o se rompen enseguida, y hay que comprar otros antes de tiempo.

A tu propio organismo, con comida y productos saludables que te darán mejor calidad de vida. Y, probablemente, te ahorrarán comprar suplementos vitamínicos o estar agotado al final del día.

A los trabajadores de las empresas, que cobrarán dignamente por el trabajo que hacen. Y vivirán mejor.

A tu propia situación laboral, porque si impides que exploten a otros, también conseguirás que no te exploten a ti en el futuro o a tus padres ahora.

Al planeta, porque estarás potenciando la producción ética, ecológica y amiga del medio natural, y castigando a la que no lo es.

Si la empresa que ha hecho tu escritorio paga dignamente a sus trabajadores, lo fabrica con la menor contaminación y recursos naturales posibles, y tiene una buena política medioambiental o social, estarás contribuyendo a que esta empresa se ponga por delante de la que explota a sus empleados y daña al planeta.

Lo ideal es comprar aquello que provenga del comercio justo, el cual te garantiza que a las personas que están produciendo ese producto que quieres comprar les están pagando lo que realmente merecen, y no el precio que se dicta desde Londres, Chicago o Fráncfort, para obtener el máximo beneficio para unos pocos.

Así que, cuando vayas a comprar algo, hazte esas simples preguntas que hemos visto y que pueden crear un cambio tan importante en el mundo.

Recuerda:

1. ¿Cuál es el origen de lo que estoy comprando?
2. ¿Es una necesidad real?
3. ¿A quién estoy beneficiando al final?

Así te podrás asegurar de que no eres tonto de verdad cuando vayáis a hacer vuestra próxima compra.

4
¿CÓMO AHORRAMOS?

Después de haber trabajado durante más de cuarenta años en el sector de la banca, yo tengo una teoría muy clara: *se puede conocer profundamente a una persona tan solo viendo el extracto de su tarjeta de crédito.* Puedes saber más de una persona por la forma en que usa el dinero, por cómo lo gasta y cómo lo ahorra, que con diez años de psicoanálisis.

Yo he visto de todo, he tratado con todo tipo de gente y sus finanzas. Y te puedo asegurar que, a través de cómo usa su dinero, entiendes mucho cómo es una persona.

Pongamos un ejemplo. Hay mucha gente que dice que comprar productos ecológicos es muy caro. ¡Que a dónde iremos a parar! ¡Que si pienso que son ricos! Que no pueden permitírselo. Ante eso, yo les respondería que me enseñaran el extracto de su tarjeta, porque les demostraría la cantidad de cosas inútiles que han comprado, que ni necesitan ni son buenas para ellos. Y cómo, con ese dinero malgastado, podrían permitirse comprar de forma justa, sana y ecológica.

Tendemos a gastar mucho dinero en porquerías. Pongamos por ejemplo las patatas fritas. Esas patatas fritas de bolsa, que a menudo llaman *gourmet* para inflar aún más el precio, no son buenas para mantenerse en forma, ni para la salud, ni para el medio ambiente. Y, además, son carísimas, cuando las patatas en realidad son muy baratas.

Si dejáramos de gastar tanto dinero en caprichos de ese tipo, por el mismo dinero podríamos comprar una buena cantidad de fruta de calidad, que sería un tentempié mucho más sano.

Otro ejemplo sería el de las personas que se compran suplementos vitamínicos, que también son carísimos. Sería mejor que compraran verduras ecológicas por el mismo dinero, que son mucho más éticas y tienen más vitaminas.

Y ya no hablemos, por ejemplo, del tabaco. Seguro que conoces a alguien que fuma, aunque todos sabemos que es terrible por muchos motivos:

- Deteriora la salud.
- Mata a las personas.
- Hace un agujero en la contabilidad personal.
- Es un gran coste para la sanidad pública.
- Proviene de empresas que explotan a los trabajadores y al planeta.

Y, aun así, hay gente que se compra un paquete diario o incluso más. Si ese dinero lo utilizaran, por ejemplo, para mejorar su dieta, esas personas podrían comprar alimentos ecológicos y de comercio justo sin tener que darle más vueltas.

El problema es que no pensamos en eso, sino que compramos y gastamos según nuestros caprichos, sin hacernos preguntas ni estudiar nuestro extracto bancario. Así, ahorrar, como podrás imaginarte, se vuelve complicado.

Preguntas que hay que hacerse al ahorrar

Una vez has decidido ser responsable con tu dinero y te propones ahorrar, tienes que ponerte a ello. Pero aquí muchas veces nos quedamos parados. ¿Qué dinero es ése? ¿Cuánto debería ser?

Es importante ser responsables con nuestro dinero. No sólo por los mercados y por el movimiento ético de la economía, sino también por nosotros mismos y pensando en nuestra seguridad y nuestra tranquilidad. Al fin y al cabo, necesitamos el dinero para obtener productos y servicios. Es decir, que lo necesitamos para sobrevivir y tener un cierto bienestar.

En la economía personal *hay que tener muy claro cuáles son los ingresos y cuáles son los gastos, para saber lo que nos queda al final y lo que podemos ahorrar.* Es decir, que hay que hacer una operación matemática que parece muy sencilla, pero que a veces resulta muy compleja.

Por lo tanto, antes de empezar a guardar dinero, es importante que te hagas las siguientes preguntas:

1. ¿Qué parte del dinero soy capaz de ahorrar?
2. ¿Cuál es el objetivo de acumular dinero?
3. ¿Qué hago para guardar mi dinero?

Es necesario que sepas cuánto dinero eres capaz de ahorrar, tú o tu familia, para qué ahorráis y dónde. Respondiendo a estas preguntas, podréis gestionar bien el dinero que ahorráis y, además, hacerlo con conciencia social.

4.1 ¿QUÉ PARTE DEL DINERO SOY CAPAZ DE AHORRAR?

Generalmente, en España, la gente no quiere hablar de sus ahorros. Se pone nerviosa cuando se le pregunta sobre el tema.

Esto se debe en gran medida a que hay quien no ahorra tanto como querría, y que a los que sí ahorran siempre les parece poco y dicen que no llegan a final de mes. Así que nadie, ni los que tienen mucho ni los que tienen poco, quieren hablar del dinero que tienen guardado.

Y la verdad es que el tema del ahorro es peliagudo. Ya hemos visto que una de las razones por la que no ahorramos es por esa necesidad aprendida que tenemos de comprar cosas. Claro que uno puede tener un capricho, y comprarse algo que le apetece, pero no hay que vivir con la obsesión de comprar. Hoy en día sucede a menudo que, cuando la gente no se siente bien, soluciona sus problemas comprando. Existe mucha compra compulsiva, y eso tiene que cambiar.

Pero debemos ser conscientes de los dos extremos: *ni las compras compulsivas nos harán más felices, ni ahorrar cada euro nos ayudará al final de nuestra vida,* cuando ya no nos quede nada más.

Hay que ahorrar para el futuro, nos aseguraban antes, pero mi experiencia me dice que el futuro es igual que el ayer. Cada día es similar al anterior y no hay nada en la vida a lo que no te puedas enfrentar o no puedas superar. Además, lo que no mata engorda, dicen, y de las dificultades sales crecido. Ésa es mi idea.

Es bueno intentar ahorrar un poco para las necesidades que se pueden ir presentando a lo largo de la vida. Por ejemplo, está bien ahorrar para pagar la universidad o para tener alguna posibilidad de comprar una casa en el futuro. Pero no hay que obsesionarse con acumular dinero.

Tal como están las cosas, hay mucha gente que apenas puede ahorrar. No olvidemos que el Fondo de Garantía del

Estado repone hasta cien mil euros en caso de que el banco quiebre, así que considera que con eso ya devuelve su dinero a casi toda la población.

No es mucha la gente que tiene dinero por encima de esa cantidad, desde luego. No nos olvidemos de que casi todo el dinero del mundo lo tienen unas pocas personas. Actualmente la gente puede tener seis mil, diez mil, treinta mil euros en el banco, y eso ya se considera un ahorro aceptable. Mucha gente no tiene ni eso, y viven con mil euros en la cuenta.

Por poner un caso concreto, veamos lo que ocurre con la hipoteca, cuando queremos comprar una casa y no tenemos dinero.

Idealmente, se dice que, al buscar casa, el dinero a gastar en la hipoteca o el alquiler no debería superar el 30 % de los ingresos de la familia. Pero si una familia cobra mil euros, que ya es bastante tal como están las cosas, ¿de verdad va a tener que buscar una casa que cueste sólo trescientos? Eso es imposible en las grandes ciudades. Así que ese modelo es difícil de cumplir y, por eso, es tristemente habitual que las familias se endeuden.

Antes se decía que el ahorro era cosa de adultos, que a los jóvenes no os interesaba. Pero ahora ya no puede afirmarse tal cosa, porque hay muchas familias que viven con lo justo, y de hecho las hay que no llegan a final de mes.

Así que si tú o tu familia podéis ahorrar, aunque sea unos euros cada mes, podéis sentiros afortunados. Al menos ya no estaréis gastando más de lo que tenéis, que es lo verdaderamente importante.

4.2 ¿CUÁL ES EL OBJETIVO DE ACUMULAR DINERO?

Para responder a esta importante pregunta, hay que pensar que el ahorro tiene dos componentes cruciales:

1. *Para objetivos concretos en la vida*, como por ejemplo comprar una casa o pagar la universidad.
2. *Por una falta de confianza en todo*, empezando por uno mismo y, por descontado, en los demás y en la vida.

La típica frase de que «hay que ahorrar porque no sabemos qué es lo que nos depara la vida» es falsa. Aunque es un poco crudo decirlo así, tan llanamente, sí que lo sabemos: la vida nos depara la muerte. Es lo natural, es incambiable, y el dinero ahorrado no nos servirá entonces de nada.

Si llegara el momento en el que pudieras hacer un repaso de tu vida, y al mirar atrás te dieras cuenta de que no has disfrutado porque has estado demasiado obsesionado con ahorrar cada céntimo, ¿estarías contento?

Yo creo que no.

Para ilustrar este concepto del ahorro, pongamos el ejemplo de alguien que almacena manzanas. Tiene varios manzanos, por lo que tiene suficientes manzanas para comer y para guardar a la vez. Así que tiene un almacén donde guarda las manzanas que le sobran. El problema es que si acumula muchas, habrá demasiadas en el almacén y acabarán pudriéndose, con lo que no habrá servido para nada. De hecho, la molestia de recogerlas y guardarlas habrá sido un trabajo innecesario y una pérdida de energía, porque ya no serán comestibles cuando vaya a buscarlas.

Pero si se va al extremo contrario y tira las manzanas que

no se come, sin guardar ninguna, tampoco estará siendo sensato. Porque si algún día hay una helada o los manzanos enferman, no tendrá nada que comer hasta que pueda producir manzanas de nuevo. Lo más inteligente, por tanto, es asegurarse de tener suficientes manzanas para comer aquí y ahora, y guardar algunas por lo que pueda pasar en el futuro.

¿Y las que sobran? ¿Las que se pondrían malas si las guarda en demasiada cantidad en el almacén? Lo más ético es darlas o invertirlas en producir nuevos manzanos para otras personas, como veremos más adelante.

Lo mismo que hemos visto con estas manzanas es lo que pasa con el dinero: si acumulas demasiado, acaba perdiéndose. No ayuda a nadie y no disfrutas de él.

Así que permíteme que insista: hay que ahorrar un poco, siempre que se pueda, pero tampoco obsesionarse con ello. Una cosa es ahorrar para algo concreto que quieras hacer en el futuro, o para tener un colchón que aporte tranquilidad frente a circunstancias imprevistas, y otra muy distinta es acumular dinero por miedo. Porque *casi todo puede superarse y muchos de los problemas que puede traer la vida no se solucionan con los ahorros.*

Pensar que acumular dinero nos evitará problemas es un gran error. Lo que habría que hacer es vivir el día a día con cabeza y previsión, pero también con una cierta tranquilidad. *El futuro siempre es incierto, y ni toda una fortuna va a poder cambiar eso.*

Ni mucho ni poco

Igual que el mercado nos incita a comprar sin medida, también los bancos nos incitan a ahorrar mucho y a confiarles todo el dinero que tengamos. Nos despiertan el miedo y la necesidad, y entonces nos preocupamos y pensamos en los intereses que nos dan por nuestro dinero, para tener aún un poquito más. Y en eso nos centramos, sin importar lo demás.

Os sorprenderíais de saber las personas que tienen millones acumulados, y que aun así están todo el día preocupados por sacarles hasta el último céntimo de beneficio. La pregunta que yo les hago entonces es: ¿pero para qué quieres esos millones?

Cuando trabajaba en la caja de ahorros lo veía cada día. Los que tenían millones y no pasaban hambre eran los que venían cada día preocupados. Que si un producto no les daba suficientes beneficios, que si podíamos cambiar el tipo de inversión para que rindiese mejor... Pero yo les decía, ¿para qué queréis más dinero si estáis forrados? ¿Para qué queréis siempre más?

Y nunca me contestaron a la pregunta. Siempre me decían «hombre...», y con eso ya estaba dicho todo. Y si seguía insistiendo, se enfadaban y me decían que no les viniese con tonterías.

El problema es que no sabían qué contestar cuando les preguntaba para qué querían más dinero del que iban a gastarse nunca, pero es importante hacerse esa pregunta.

Yo no soy psicólogo, pero tengo entendido que esa cuestión tiene que ver con el tema de la muerte. No aceptamos la muerte, ni morir, y queremos que la vida dure para siempre. Y parece que existe la creencia de que, de alguna forma, si tenemos mucho dinero y hacemos que se multiplique, aumentamos nuestro poder sobre el destino. *El ahorro compulsivo está provocado por el miedo.*

Nos falta tener conciencia del presente, sobre todo a las personas mayores. Vivimos con la mirada demasiado puesta en el futuro, y eso nos agobia en el día a día. Porque no podemos prever lo que nos puede pasar más adelante, y por eso pensamos que ahorrando y ahorrando podremos estar preparados para lo que venga.

Pero, muchas veces, lo que nos depare la vida no se podrá arreglar con dinero. O al menos no con el que podamos tener ahorrado. Quizá un día te diagnostican una enfermedad terminal, y los millones que tenías ahorrados ahí se quedan. Sin que los hayas disfrutado, y sin que hayas hecho nada bueno con ellos.

Recuerdo el caso del director general de una empresa prestigiosa a nivel mundial llamada KPMG. Era un hombre de éxito, con cuarenta años, millonario, y que viajaba mucho por el mundo. Un día su mujer le dijo que tenía mala cara y que fuera al médico. Y lo hizo, con malos resultados. El médico le dijo que tenía un cáncer, y que le quedaban seis meses de vida. ¿Y sabes qué pasó? Que esos fueron los meses que el hombre más aprovechó, los que realmente vivió a fondo. Escribió un libro, disfrutó, y le encontró el sentido a su vida. Y, obviamente, el sentido de su vida no era el de acumular dinero. Era disfrutar lo que tenía: los amigos, la familia, el mundo por descubrir.

Otros dicen, en cambio, que ahorran para sus hijos o sus nietos. Que así, cuando ellos no estén, habrán dejado la vida solucionada a sus descendientes. Pero muy a menudo, si hubiesen sabido lo que iba a pasar después, se habrían arrepentido de guardar ese dinero para dejárselo a los suyos una vez que no estuvieran.

He visto lo que pasa con los ahorros cuando alguien desaparece. Muchas veces, cuando los herederos se encuentran con una gran cantidad de dinero por la que no han trabajado, empiezan los conflictos, las peleas y el despilfarro. Entonces se despiertan los instintos más bajos de gastarlo y de luchar por cada céntimo. He visto a hermanos entrar en el banco casi pegándose, por lo que es fácil llegar a la conclusión de que el padre ya no está y quieren su dinero. Las familias se destrozan, y los descendientes se arruinan cuando se lo gastan todo e incluso más de lo que han heredado.

Y todo porque de repente se han encontrado con más dinero del que nunca les ha cabido en las manos.

Yo siempre digo que no es bueno dejarlo todo a los hijos. Primero porque no lo necesitan, y segundo porque el dinero que llega fácil no se gestiona con la consciencia sino con el instinto. El instinto del consumismo.

Así que es importante ahorrar, pero hay que hacerlo con medida. Por eso tienes que preguntarte para qué ahorras:

- ¿Ahorras para algo concreto?
- ¿Ahorras sólo porque tienes miedo de lo que pueda pasar?
- ¿Ahorrar más te dará más calidad de vida y más satisfacción personal?
- ¿Tus ahorros ayudarán a los tuyos, o crearán al final un cisma familiar?

Respondiendo a esas preguntas, serás personal y económicamente mucho más sabio.

4.3 ¿QUÉ HAGO PARA GUARDAR MI DINERO?

Vale, ahora ya sabes que quieres ahorrar con medida, que debes hacer un poco de hucha pero sin obsesionarte. Y llega la siguiente pregunta. ¿Dónde haces esa hucha? ¿En casa?

Dejar el dinero parado bajo una baldosa no sirve para nada. Así no se multiplica, ni ayuda a nadie. Ni siquiera a nosotros mismos.

Lo mejor sería que el dinero estuviera en los bancos, para que se moviera y aumentara, eso está claro. Pero no en cualquier banco, sino en aquellos que van a usarlo en beneficio de la sociedad y el medio ambiente. No para lo que ellos quieran o lo que les vaya mejor a los que mandan. Eso es lo que hace que los bancos sean unos lugares que acabamos aborreciendo.

Pero si, por otro lado, sabes que lo van a usar para aumentar la producción de alimentos ecológicos, puedes estar contento. O si lo usan para ayudar a otros a formar empresas éticas que obtendrán beneficios gracias a tu préstamo, y te dan parte de esos beneficios, podrás estar aún más contento. Y todos, tanto tú como los demás y el planeta, ganaríamos con el movimiento de tu dinero. Estaría sirviendo para crear riqueza y apoyar las buenas causas. Por eso son buenos los bancos y el papel que cumplen, siempre que sean éticos.

El papel de los bancos

Ya hemos concluido que dejar los ahorros en casa no es buena idea, porque el dinero que no se mueve no crea beneficios, valor ni riqueza.

Por eso lo normal es ahorrar en bancos y cajas de ahorros, que para eso aparecieron, aunque estas segundas ya prácticamente han desaparecido o se han convertido en bancos. Más adelante te explicaré con detalle cómo funciona un banco, y las opciones que te ofrece, pero ahora vamos a centrarnos en lo que hace ese banco con lo que ahorras.

Lo que sucede es que nuestro dinero es prestado a empresarios y particulares para que puedan usarlo para crear riqueza, ya lo hemos visto con anterioridad. El problema es que casi todos los bancos cogen nuestros ahorros sin que sepamos qué van a hacer con ellos después. Muchas veces lo que hacen, como hemos descubierto recientemente a través de las noticias, son acciones que no sólo no nos benefician, sino que nos dañan a la larga.

El dinero habría que dejarlo únicamente para que otros puedan usarlo para crear riqueza en el mundo, como por ejemplo comprando maquinaria, creando nuevos puestos de empleo, potenciando proyectos sostenibles… Y la mayoría de los bancos no promueven eso, sino todo lo contrario.

Antiguamente la gente iba a los bancos porque éstos aportaban tres cosas muy importantes, las cuales eran:

1. *Seguridad*. Como tenían tanto miedo de todo, temían que alguien pudiera robarles su dinero. Y en los bancos sentían que estaba seguro. Actualmente ya no tenemos ni eso, como se ha ido viendo en los últimos años.
2. *Liquidez*. En el sentido de que si necesitas el dinero que tienes en el banco, te lo puedes llevar y usarlo.
3. *Rentabilidad*. Mientras no usas el dinero que tienes en el banco, lo usa él y te paga unos beneficios con lo que obtiene.

Lo que acostumbramos a hacer es buscar fuera esa seguridad que no tenemos dentro. Pensamos equivocadamente que el dinero puede arreglarlo todo, y de ahí que los bancos hayan ganado tanto poder. Desconfiamos, necesitamos tener el control de lo que nos rodea, y de ahí que haya, por ejemplo, seguros para todo: seguros de vida, de accidente, de hogar, de viajes… No aceptamos la incertidumbre, ni la posibilidad de que nos pase algo. Y esto para mí es ridículo, porque es como decir que no aceptamos que la vida nos dé un golpe.

Eso es algo que tenemos que asumir. Si la vida tiene que darnos un golpe lo hará, aunque no lo queramos o no lo aceptemos, o no estemos preparados. Por eso *tenemos que aprender a liberarnos de los miedos y de la necesidad de tenerlo todo bajo control, porque es imposible controlarlo todo.*

Pero volviendo a lo que pasa con nuestro dinero, ahí sí que se puede tener un control. Y por eso hay que liberarse también de la tradición de llevar el dinero al banco de siempre porque sí. Sobre todo, porque ahora ni siquiera nos da seguridad, con todo lo que está pasando. Sólo hay que pensar en las preferentes, en las hipotecas imposibles de mantener y en los créditos que no nos quieren dar para que intentemos mejorar nuestra forma de vivir.

Tú, que estás empezando a usar el dinero, tienes que buscar la seguridad dentro de ti mismo, para que lo que pase fuera no te desequilibre ni haga que te caigas.

La ética de los bancos

El problema de los bancos es la gestión que se hace actualmente en la mayoría de ellos. Los bancos tendrían que ganar su dinero a través de los intereses de los préstamos, pero en realidad lo que hacen es especular con algo que ni siquiera existe.

Se dice que el 95 % del dinero que circula en el mundo viene de la especulación, es decir, que detrás de esos «millones, billones y trillones» no existe nada, sólo el nombre. De este modo, se crean unas burbujas que, cuando revientan, están casi vacías de dinero. Y sólo ayudan al 1 % que controlaba la situación, mientras que el 99 % restante se queda en la miseria.

Los bancos deberían tener conciencia global de la sociedad, pero por desgracia no es así en la mayoría de los casos. Y lo peor es que desconocemos lo que hacen, no somos conscientes de ello. Debería existir una «ley de transparencia bancaria» que obligara a los bancos a informarnos de lo que hacen con nuestro dinero. Pero como no existe, pues no nos lo explican y se quedan tan tranquilos.

¿Y cuál es el problema añadido? Que nosotros no se lo preguntamos.

Cuando pedimos un crédito, ellos nos hacen un montón de preguntas y nos piden toda clase de garantías. El banco necesita saber si lo que queremos hacer es sensato y nos permitirá devolverle el dinero que nos haya prestado.

Tiene lógica, en realidad, porque nadie quiere dejar algo si no van a devolvérselo. En realidad, nosotros hacemos lo mismo. Si alguien te pide prestado tu teléfono para hacer una llamada, no se lo dejarás si no confías en esa persona o no te garantiza que te lo va a devolver en buen estado.

La cuestión es: ¿por qué no hacemos nosotros lo mismo también con los bancos?

Deberíamos ser igual de exigentes, o incluso más, con los bancos. Cuando ingresamos nuestro dinero, deberíamos saber quién es el director del banco, qué valores tiene, si nos gusta lo que hace y un largo etcétera de cuestiones. De esa forma tú también podrías decidir si el banco cumple los requisitos legales, éticos y morales para ser digno de tratar con tu dinero.

El banco y tú

Lo que debes hacer, por lo tanto, es preguntarte qué hará el banco con tu dinero. A mí, en los cuarenta años que he estado trabajando en la banca, nadie me lo ha preguntado nunca.

Imagina, por ejemplo, que buscas a alguien que pasee a tu perro porque tú no puedes. No se lo entregarías sin más pensando que estará a salvo, sino que le preguntarías si va a sujetar bien la correa, si va a llevarlo por sitios seguros y si va a ocuparse de darle agua cuando tenga sed.

Pues con el dinero, al dejarlo en el banco, habría que hacer lo mismo. Deberíamos preguntarles qué van a hacer con él. Sin embargo, la única pregunta que yo he escuchado durante años era: «¿Cuánto me pagas si te traigo el dinero?» o «¿Qué me regalas?»

Eso convirtió a los bancos y a las cajas en un bazar de regalos: te daban algo que tú mismo podías comprar y que no necesitabas por llevarles tu dinero. Y muchos aún lo siguen haciendo. De hecho, circuló una broma sobre un juego de sartenes. Se decía que era el regalo más poderoso que había hecho nunca un banco porque, por una vez, salías de la oficina con la sartén por el mango.

Aunque si lo pensamos, es un engaño. No tenemos la sartén por el mango, porque no tenemos ni el conocimiento ni el control de lo que se hace con nuestro dinero. Sólo tenemos la sensación de que está seguro, y de que somos listos porque salimos de la oficina con unas sartenes, o una *tablet*, y la promesa de unos intereses. Pero aun así salimos sin preguntarnos a dónde va o qué hacen con nuestro dinero, y eso debería ser lo más importante.

Por eso es importante detenerte a pensar sobre el lugar en el que depositas tus ahorros. Si quieres cambiar el mundo, no puedes permitir que utilicen tu dinero para hacer cosas que van contra tus principios. Ese dinero, que es tuyo, es tu responsabilidad y debes saber lo que hacen con él y para qué sirve. Por eso hay que escoger con cuidado a quién se lo estás prestando. Por ejemplo:

- Si eres pacifista, no puedes permitir que con tu dinero paguen la fabricación de armas.
- Si defiendes los derechos humanos, no puedes permitir que financien a empresas que explotan a los niños o discriminan a las mujeres.
- Si eres ecologista, no permitirás que favorezcan a las empresas que contaminan.

Así que, cuando vayas a un banco a dejar tu dinero, deberías hacerles tantas preguntas como hacen ellos a la gente que le pide un crédito. Con esas preguntas averiguarás *quiénes son, cómo son, qué valores tienen, qué garantías te dan para devolverte el dinero si al banco le va mal y qué van a hacer con el dinero que les dejes.*

Piensa en una situación en la que algún amigo o un hermano te pidiera que le dejaras dinero. Imagina que cuando le preguntaras para qué lo quiere, te dijera que para fabricar un arma para matar al perro del vecino, porque ladra. ¿Se lo dejarías? ¡Claro que no! ¡Nunca! Entonces, la pregunta es: ¿por qué dejárselo al banco sin hacerle la misma pregunta?

Hace unos años, los bancos daban crédito a aquellos que tenían buenas ideas. Ideas que fueran lógicas, sensatas y seguras. Y gracias a ese préstamo, las empresas podían prosperar y devolver el dinero que les habían prestado incluso con un extra, los llamados intereses. Se los daban a quien les había prestado el dinero. Así se creaba la riqueza para todos, la riqueza útil.

El problema es que últimamente algunos bancos han estado prestando el dinero a proyectos descabellados o con finalidades dudosas, y eso ha hecho que el dinero no genere riqueza real. No sólo eso, sino que se pierde por los recovecos o se utiliza con unos fines que, si los conociéramos, nos pondrían los pelos de punta. Lo que genera son problemas.

Esto es lo que ha pasado hasta ahora, pero es algo que se puede cambiar.

La libertad de escoger

Yo acostumbro a decir que *no es que no seamos libres, sino que tenemos miedo de serlo.* Igual que el mercado no nos obliga a comprar todo lo que compramos, los bancos tampoco nos obligan a darles nuestro dinero a punta de pistola. Nos animan a hacerlo, pero al final la decisión es nuestra.

La libertad implica tener el coraje para decidir, para investigar, y para hacer algo en lo que creamos, aunque no sea lo común. La libertad implica ir a contracorriente a veces, con todo lo que eso conlleva:

- Que traten de convencerte de volver al camino de siempre.
- Que desconfíen de tus decisiones por el simple hecho de que no hayas hecho lo de siempre, lo que es tradición.
- Que te miren raro, por si es el primer paso para convertirte en un radical.
- Que consideren que estás siendo un idealista por querer cambiar el mundo.

Todas esas consecuencias están ahí, y muchas más. Es una lucha, y es difícil. Pero tú también puedes hacerlo, y te darás cuenta de que cada vez somos más y más los que queremos cambiar las cosas.

De ahí, de querer hacer cambios, es de donde surge el concepto de banca ética en el que yo llevo trabajando más de diez años. La banca ética se creó para ayudar a que el mundo fuera mejor, utilizando el dinero de forma consciente y responsable, y para tener una transparencia total, lo cual implica que se explica qué se está haciendo con el dinero que les dejan sus clientes. Por supuesto, un banco ético puede equivocarse con las decisiones, claro, porque al final son personas las que lo forman. Pero al menos lo dicen y la voluntad es positiva.

Podemos equivocarnos con las decisiones, claro, porque también somos humanos. Pero al menos lo estamos diciendo, y tenemos buena voluntad.

¿Significa eso que los demás bancos no son éticos? Bueno, prefiero no opinar, que cada uno juzgue a raíz de lo que hemos vivido en los últimos años.

Los bancos grandes suelen asustar a la gente, diciéndoles que los bancos pequeños no dan seguridad. Pero la garantía y la seguridad no dependen de lo grande o pequeño que sea el banco, sino de su solvencia. Y ahí la banca ética gana «de calle», como suele decirse.

El problema de la mayoría de los bancos es que no se sabe quiénes son, ni qué hacen con el dinero.

Así que le cambiaron el nombre, inventaron un lema distinto y dijeron que era inteligente. Esto es un engaño en toda regla. Porque aunque traten de lavarle la cara, sigue siendo el banco que dejaba a sus clientes sin dinero mientras sus directivos se enriquecían.

Por eso, uno debe averiguar qué pasa con su dinero. Debes preguntarte a quién le das tu confianza, a quién le das crédito, teniendo en cuenta que la palabra «crédito» proviene de «creer». Es decir, *debes preguntarte en quién crees lo suficiente para depositar en sus manos tu dinero.*

Y ya que tienes la oportunidad, porque estás empezando a tratar con el dinero, puedes escoger un camino que, aunque no sea tan habitual, te ayude a crear un mundo mejor. El camino que lleva a la banca ética, al comercio justo y a compartir con los demás.

5
¿CÓMO DONAMOS?

De las tres cosas que se pueden hacer con el dinero, y que son comprar, ahorrar y donar, la de donar es la que más le cuesta a la gente y la que crea más reticencias. ¿Por qué? Porque implica desprenderse del dinero sin esperar unos beneficios a cambio.

Otro engaño, porque como veremos en las siguientes páginas, donar dinero tiene muchos beneficios, aunque no sean tan claros como un numerito a final de mes en el extracto de una cuenta.

Cuando se dona dinero, a mucha gente le parece que va a caer en saco roto o que puede ser un dinero que luego va a necesitar. Por eso nos cuesta tanto darlo. Y lo peor es que muchas veces son los que más tienen a los que más les cuesta compartir. En cambio, las personas que tienen poco están más dispuestas a dar. Quizá esto se debe a que les resulta más fácil ponerse en el lugar de los que lo pasan mal porque, debido a sus propias dificultades, tienen la conciencia de comunidad más desarrollada.

En vez de simplemente acumular dinero, lo ideal sería hacer donaciones en vida para algún proyecto en el que creyéramos.

Volviendo al ejemplo de las manzanas que hemos mencionado antes, podríamos hacer algo con todas aquellas que iban a acumularse en exceso en nuestros almacenes para pudrirse después. Por ejemplo:

- Darlas a los vecinos que están pasando un mal momento.
- Compartirlas con alguien que sabe cómo hacer mermelada, porque así podremos disfrutar de las manzanas en otro formato.
- Cedérselas a alguien que haya inventado una idea para la que necesite manzanas como producto básico, y no pueda producirlas por sí mismo.
- Usarlas para crear otros productos, como combustibles ecológicos o alimento sano para el ganado.
- Darlas a aquellos que, usando sus pepitas, puedan plantar nuevos manzanos en sitios donde necesiten alimento.

De esta forma, nuestras manzanas no se quedarían pudriéndose en nuestros almacenes, sino que servirían a otras personas o a la Tierra, y nosotros nos sentiríamos mejor.

Pero entonces, ¿por qué nos cuesta tanto dar dinero? Existen muchas razones, las hay de todos los tipos y colores.

Están por ejemplo las que tienen que ver con la previsión:

- Si no tengo dinero para mí, ¿cómo voy a donar?
- ¿Y si me pasa algo más adelante?
- Tengo muchos gastos y quiero poder dar lo mejor a mi familia.
- Tengo que dejarles todo el dinero que pueda a mis propios hijos.

Luego están las que tienen que ver con la desconfianza:

- A saber a dónde va el dinero en realidad...
- Seguro que lo que yo dono se destina a pagar los sueldos de los directivos de las organizaciones.
- Como no pueden demostrarme lo que se hace en realidad con mi dinero, no me fío.

Y las abiertamente contrarias o derrotistas:

- Dar dinero no sirve de nada, lo que hay que hacer es cambiar los gobiernos y la forma que tienen de hacer las cosas en esos países.
- Hay tantos sitios donde habría que dar dinero que es imposible ayudar.
- Con lo poco que podría dar yo y de lo poco que iba a servir, para qué voy a donar nada.
- No es dando dinero a los pobres como se va a cambiar el mundo.

Todas estas razones están muy bien, y pueden parecer lógicas, pero aun así provienen del mismo origen, que es el de pensar sólo en uno mismo. Pero si nos fijamos bien en ellas y reflexionamos, podemos echarlas todas por tierra.

El papel de los que ayudan

Las ONG y las entidades de ayuda están muy controladas por los gobiernos, y generalmente están constituidas por personas con conciencia que realmente buscan ayudar a los demás. Pero si hay alguna que no cumple con lo que promete, se denuncia y se reestructura para que esto no vuelva a ocurrir.

Respecto a no saber qué hacen con nuestro dinero, la mayoría de estas organizaciones realizan auditorías y envían boletines, revistas o anuarios en los que detallan lo que han conseguido con el dinero que se ha donado. Muchas de estas organizaciones están incluso abiertas y deseosas de que los donantes visiten los lugares en los que trabajan y lo vean con sus propios ojos.

Además, no hace falta irse lejos a donar el dinero. En nuestro propio país y nuestra propia ciudad, cada vez hay más personas que necesitan nuestra ayuda. Los bancos de alimentos o de medicamentos, sin ir más lejos, reciben cada día más peticiones de ayuda de las personas que lo están pasando mal. Y también hay un sinfín de causas culturales, ecologistas, emprendedoras o científicas que recibirán con los brazos abiertos una donación.

Por último, también están los que dicen que no tienen bastante para donar o que lo poco que podrían dar tampoco serviría para nada. Ésa es la peor excusa de todas, porque cada ayuda cuenta, y colaborar con los demás nos ayuda a nosotros mismos. Darnos cuenta de que hay gente que está peor que nosotros y que nuestra ayuda puede suponer un gran cambio nos ayuda a relativizar nuestra propia situación y a no obsesionarnos con el dinero.

Sólo dando una pequeña cantidad al mes, si todos lo hiciéramos, podríamos cambiar el mundo. Y, como veremos, encontrar algo que donar es muy fácil cuando se quiere hacer de verdad.

Si tenemos esas manzanas sobrantes, o incluso si sólo tenemos unas pocas pero estamos decididos a compartirlas igualmente, nos daremos cuenta de que existe un sinfín de opciones para hacer un bien a nuestro mundo y a nuestra sociedad. Por el camino, nosotros mismos también habremos crecido y habremos creado una consciencia que nos ayudará a ser mejores personas. No olvidemos que el efecto boomerang funciona para lo bueno y para lo malo: *si damos cosas buenas, también las recibiremos a cambio.*

Preguntas que hay que hacerse al donar dinero

Lo que pasa es que, a la hora de donar dinero, como a la hora de comprar o ahorrar, no puedes lanzarte a lo loco. Porque entonces es cuando puedes perder el rastro de tu dinero o no ser consciente de cómo es tu realidad y la de los demás.

A la hora de donar dinero también debes hacerte unas preguntas importantes:

1. ¿De qué parte de mi dinero puedo prescindir?
2. ¿Qué me impulsa a dar este dinero?
3. ¿Cuál sería un buen destino para mi donación?

Respondiendo a estas simples preguntas, como sucede con los dos casos anteriores, podrás hacer un buen uso de tu dinero para usarlo con conciencia y ética a favor de una sociedad mejor.

5.1 ¿DE QUÉ PARTE DE MI DINERO PUEDO PRESCINDIR?

A la hora de compartir tu dinero, es importante saber lo que puedes donar cada mes. No me refiero a que debas vigilar lo que donas para no arruinarte, eso nunca ocurre.

Muchas veces, de hecho en la mayoría de los casos, podríamos dar mucho más dinero del que donamos en realidad.

La posibilidad de donar una cantidad de dinero tiene que ver con una gestión responsable y ética de nuestra contabilidad.

La donación empresarial

Uno de los grandes problemas de las empresas, hoy en día, es que buscan el máximo beneficio personal. Y cuando me refiero al beneficio personal, me refiero al beneficio de su dueño y de los socios o los accionistas que ponen el dinero. No al de los trabajadores.

Muchas veces nos encontramos con que alguien humilde tuvo una buena idea, creó una empresa (probablemente con el crédito que le prestó un banco, y que provenía de los ahorros de otra familia), y tuvo éxito. Seguramente al principio quería ser feliz con poco, cuidar de sus empleados y no dejarse llevar por el trabajo. Pero muchas veces pasa que esa persona, a medida que obtiene más poder y dinero, quiere más y más. Empieza a exigir más horas, a recortar los derechos o los beneficios de sus empleados, y a atesorar cada céntimo que produce su empresa. Quizá será rico, sí. ¿Pero es feliz? ¿Puede sentirse orgulloso de sí mismo?

Si tuviera conciencia, la respuesta sería que no.

Las empresas funcionarían mucho mejor si una parte de lo que producen se devolviera a la sociedad. Una parte del beneficio de las empresas debería ir a parar al mundo de la cultura, por ejemplo. Esto haría que la gente, sobre todo los directivos y los empresarios, dejaran de centrarse tanto en el beneficio financiero para ayudar a crear una sociedad más culta, más educada, y menos dispuesta a dejarse engañar.

De hecho, ya hay muchas empresas que lo hacen, porque han creado conciencia. Algunas premian a sus empleados, otras donan parte de sus beneficios. Las hay que crean programas sociales útiles, o que incluso colaboran directamente con organizaciones de ayuda a los demás. Como el pastelero que cada semana lleva los productos que le sobran al banco de alimentos más cercano, olvidándose de si está perdiendo dinero o no. Seguro que él se va a la cama más satisfecho que el que rapiña cada céntimo que invierte en su empresa.

Por eso, si cada empresa diera un poco, no sólo mejoraría el bienestar de la sociedad, sino también el bienestar espiritual de los empresarios. Es aquello que te hace mirar atrás cuando eres mayor con una sonrisa, porque sabes que has ayudado a otros.

La donación individual

A nivel personal, también podemos donar mucho más dinero del que creemos. Nos puede parecer que tenemos poco, que lo necesitamos todo, pero si nos detuviéramos a estudiar nuestras cuentas, encontraríamos muchos gastos innecesarios e incluso inadecuados que podríamos sustituir por una donación. Aquí podemos volver, como con el tema de las compras, al extracto de la tarjeta de crédito.

Gran parte de nuestros gastos son totalmente inútiles. Un ejemplo de ello es el Duty Free de los aeropuertos, esas tiendas inmensas con productos de lujo y de grandes marcas. Nada de lo que nos ofrecen es imprescindible para nosotros en realidad. Lo que pasa es que se encuentran ahí, estamos eufóricos porque viajamos y nos sentimos poderosos si compramos. No necesitamos nada de eso, pero podemos comprarlo.

Lo mismo sucede en los grandes centros comerciales.

Si todos diéramos sólo una parte de esas compras a alguna ONG, sería suficiente para acabar con la miseria.

Y lo mismo sucede con el ahorro. Como ya he comentado anteriormente, un exceso de dinero en las cuentas no es bueno para nadie: ni para nosotros, que no podremos usarlo cuando ya no estemos aquí, ni para nuestros herederos, que lo derrocharán o se pelearán por él. Tampoco es útil para la sociedad, que no puede utilizarlo.

Por eso soy un gran defensor de la donación en vida. En vez de guardar el dinero en una cuenta y que siga ahí cuando ya no estemos, la gente podría dar una parte mientras todavía pueda hacerlo. Así tendrían la satisfacción de ver que han podido ayudar a otras personas, o a la Tierra, y que su ayuda ha sido decisiva en un ámbito u otro.

De esa forma, al echar la vista atrás al final de sus días, verían una cuenta algo más vacía pero muchas más sonrisas. Y descubrirían que han contribuido en algo gracias a su existencia, que al final es el sentido de la vida.

¿Y si no tienes una cuenta abultada?

No pasa nada, pues ése es el caso de la mayoría de las personas hoy en día. Pero aun así puedes ayudar a los demás.

Yo he hecho un ejercicio muchas veces que tú puedes hacer por tu cuenta. Imagina tus gastos mensuales, o los de tu familia, y comprueba cuáles son esenciales y de cuáles podríais prescindir. Seguro que de esa segunda parte podríais donar un poquito.

Entre otras cosas, podrías:

- Guardar una parte de tu semanada en una hucha, y donarla a final de mes o de año a quien te parezca que lo necesita más.
- Pedir que en vez de que te hagan tantos regalos para Navidad, una parte la den a las asociaciones que hacen regalos a los que no tienen para celebrar las fiestas.
- Comprar menos ropa, y donar lo que no te has gastado.
- En vez de tomar tantos refrescos, sustituye parte de ese azúcar y cafeína por las endorfinas que produce la felicidad de ayudar a otros. Puedes decirle a tus padres que hagan lo mismo con el café.
- Convencer a tus familiares de que dejen de fumar, si lo hacen, y como aliciente para mejorar su salud, que ayuden a otros con el dinero que se ahorren.
- Salir a cenar o al cine una vez menos al mes, y con ese dinero asistir a personas necesitadas.
- No comprar cosas innecesarias, o excesivamente caras, para ayudar a otros a tener lo básico.
- Guardar un euro a la semana, que apenas se nota, y donar el total acumulado al final del año a una organización caritativa.
- Usar más los pies o la bicicleta, para así reducir la contaminación y, con lo que te ahorras en transporte, contribuir a alguna organización ecologista.
- Comer bien y sano, y, en vez de gastar el dinero en vitaminas o productos para adelgazar, hacerlo en comercio justo.

- Quererte un poco más y no usar tanto maquillaje y tantos cosméticos, y usar lo ahorrado para promover la investigación médica.

Y como éstas, hay decenas de ideas que pueden ayudarte a gestionar tu dinero con conciencia y ayudar a los demás.

Otros también pueden ayudarte. En Triodos Bank, sin ir más lejos, cuando alguien abre una cuenta se le propone que una parte de los intereses que reciba se destine a alguna ONG. ¿A que es simple y fácil? No es un dinero con el que ya contamos, y no va a cambiar nuestra vida de forma significativa. Pero sólo con eso, si lo hace mucha gente, ya estaremos dando un gran paso para la concienciación de la sociedad y el cambio hacia un mundo mejor.

Así que cuando te preguntes cuánto dinero podrías donar, si realmente quieres, pregúntatelo de verdad.

5.2 ¿QUÉ ME IMPULSA A DAR ESE DINERO?

Lamentablemente, a menudo son los de abajo los que tienen que solucionar los problemas que crean los de arriba. Como el jefe que carga a tus padres con demasiado trabajo o el profesor que ha perdido vuestros trabajos y os obliga a repetirlos de nuevo. En ambos casos, los de abajo cargan con el trabajo extra porque los de arriba os obligan a hacerlo.

Con la miseria económica sucede lo mismo.

Si los gobiernos no fueran tan corruptos, el hambre en el mundo tendría fácil solución. En realidad, eso es algo que, con los impuestos que pagamos, ya tendría que estar resuelto. Con cuarenta o cincuenta mil millones de euros al año, estaría solucionado.

¿Te parece mucho? Sí, a la mayoría nos lo parece, pero ese dinero es una miseria a nivel mundial, sobre todo teniendo en cuenta que los gobiernos han destinado cientos de miles de millones más para ayudar a los bancos.

Es escandaloso.

El problema es que el Gobierno, los bancos y las grandes empresas no han tenido voluntad de cambiar esto. Y no sucederá hasta que suban al poder otros políticos u otra gente lo reclame.

Donar dinero no consiste sólo en despertar la conciencia momentáneamente porque veamos por la tele el anuncio de tal o cual ONG y nos dé pena, y entonces hagamos un ingreso para sentirnos mejor. Yo siempre digo que hay que ser conscientes y generosos de forma continua. Mucha gente quiere tapar su mala conciencia y da un poco de dinero, sobre todo en navidades, para sentirse mejor. Pero lo que se necesita realmente es hacerlo con más cabeza, mejor y con más asiduidad.

Pongamos un ejemplo. Hace poco, uno de los hombres más ricos de nuestro país dijo que donaría veinte millones de euros en cinco años a una organización. Y todo el mundo pensó que era maravilloso. Unos cuatro millones por año, no veas. ¡Una fortuna! Qué buen señor. Pero la pura realidad es que esa persona obtiene cinco o seis mil millones de beneficios al año, así que ya os podéis imaginar lo poco que le supone a él dar ese dinero, y lo mucho que podría hacer si realmente tuviera esa conciencia que deberíamos tener todos.

Si retrocedemos en el tiempo, nos daremos cuenta de que casi todas las antiguas religiones defendían el diezmo, que consistía en donar el diez por ciento de lo que se ganaba. Y aunque ya pagamos impuestos, podemos seguir haciéndolo. Debemos crear una cultura de dar una parte de lo que recibimos.

Aunque sea por egoísmo, es importante donar dinero. Porque es un proceso simbiótico: si el mundo está mejor, todos nosotros estaremos mejor. Si el dinero que donas se usa para crear una mejor calidad de vida, tú también disfrutarás de esa mejor calidad de vida. Y así, aunque sea poco a poco, esos motivos personales y egoístas se irán transformando hasta que volvamos a tener un espíritu de colaboración real con los demás.

El secreto está en *buscar no sólo el beneficio personal, sino el de todos como comunidad.* ¿Qué me impulsa a dar ese dinero? La respuesta debería ser mejorar el mundo y la sociedad.

5.3 ¿CUÁL SERÍA UN BUEN DESTINO PARA ESA DONACIÓN?

Una vez decides ser responsable y generoso con los demás, llega el momento de hacerlo. ¿Y cómo?

Puedes llegar a sentirte agobiado, porque hay muchas organizaciones y entidades y no sabes por dónde empezar. Hay tantas, y se mueven tanto para que les donemos dinero, que no es raro que encontremos voluntarios y trabajadores de estas organizaciones en la calle, intentando despertar nuestra conciencia.

Sin embargo, hay personas que no se fían de este tipo de prácticas y sospechan: que si a lo mejor es un farsante, que si a lo mejor se lo queda, que a ver qué pasa realmente con ese dinero que recogen…

Aunque tengamos ese recelo, si queremos colaborar, es tan simple como llegar a casa, buscar información sobre esa organización y ver los medios que tienen para ayudar, que serán muchos y fiables. El secreto está en informarse, en estudiar los datos que nos dan y, si hace falta, preguntar más y pedir compromisos.

Igual que hacíamos con el banco a la hora de darle nuestros ahorros, también a las entidades y organizaciones podemos exigirles respuestas antes de darles nuestro dinero.

Hay miles de sitios donde puedes ayudar, y no tienen por qué ser esas grandes ONG que se anuncian en la tele. Puedes colaborar por ejemplo:

- En la parroquia local.
- En las asociaciones culturales de tu barrio, que a lo mejor ayudan a crear espacios culturales o a pagar comedores escolares.
- En los hospitales que necesitan medios o formas de mejorar la estancia de los pacientes.
- Con asociaciones que dan compañía y ayuda a las personas mayores.
- Para la investigación de enfermedades de todo tipo.
- Promoviendo la tenencia responsable de los animales, y ayudar a los que viven en la calle.
- Donando dinero para la creación de nuevos espacios de los que puedan disfrutar todos, como parques y zonas verdes.
- Creando nueva conciencia a través del ejemplo, la difusión y la enseñanza.

Sea cual sea tu motivación, lo importante es que estés dispuesto a hacer algo por las otras personas o por el planeta.

El dinero se transforma

En la naturaleza, gracias a que los frutos mueren, nacen otros nuevos a partir de sus semillas. Es el ciclo de la vida, para que unas cosas nazcan y crezcan otras tienen que desaparecer. La muerte es el camino que ha encontrado la naturaleza para generar nueva vida, decía Goethe, pero esta «muerte», esta entrega por amor, no sólo crea vida, sino que la multiplica, como hemos visto en las semillas de un fruto que cae del árbol.

Y lo mismo sucede con el dinero: cuando nos desprendemos de él con conciencia y generosidad, abre las puertas a otras personas para que puedan crear cosas nuevas para el bien de la sociedad.

Imagina a alguien que da dinero para crear una escuela o universidad; ello permitirá que durante años, o siglos incluso, miles y miles de estudiantes se formen y puedan aportar sus conocimientos y su sabiduría para lograr un mundo mejor. Una donación hecha con conciencia y amor multiplica sus efectos durante años, y las consecuencias positivas pueden ser infinitas e incalculables.

Es hora de que nos demos cuenta de que todo aquello que hace bien a los otros, que permite crear un mundo mejor, nos beneficia.

Cuando donas dinero, desaparece para ti pero en realidad sigue ahí, y se transforma en la satisfacción que recibes de haber hecho el bien, de haber mejorado la sociedad o de haber ayudado a proteger el mundo.

6

LA HORA DE LA CONCIENCIA

He hablado ya mucho de la conciencia. Definirla es algo complicado, pero podríamos decir que tener conciencia es darse cuenta de las consecuencias de todo aquello que pensamos, sentimos y hacemos.

Por tanto, tener conciencia implica ver los efectos no sólo de lo que hacemos, sino también de lo que pasa por nuestra mente. Los propios pensamientos y los sentimientos, a veces, provocan comportamientos o formas de ser que también influyen en los demás y en el mundo.

Pongamos que un día te levantas de mal humor. Si estás enfadado, es posible que todo lo veas peor de lo que es, y que sólo encuentres motivos a tu alrededor para enfadarte más. Además, seguramente mostrarás tu mal humor a los demás y les hablarás más bruscamente, o les pondrás mala cara. Y si estás de muy mal humor, tampoco tendrás mucho cuidado en las cosas que haces y tu prioridad no será cuidar de aquello que hay a tu alrededor.

Todos hemos tenido alguna vez un día de esos, ¿verdad?

Pero si en vez de dejarte llevar, tomas conciencia de que estás de mal humor, te das cuenta y tratas de ponerle remedio, no reaccionarás ni la mitad de mal que cuando no eres consciente de ello.

En el caso de la economía y del dinero, es muy importante tomar conciencia en los tres ámbitos de los que hemos hablado con anterioridad. Es decir:

- Cómo afectan tus decisiones a ti mismo, como persona y en tu crecimiento y desarrollo personal.
- Cómo afectan tus decisiones a los demás y a su vida.
- Cómo afectan tus decisiones al planeta y al medio natural.

Eso es tomar conciencia, meditar respecto a estas cuestiones que son tan simples pero que pueden hacernos ver las cosas de una forma tan diferente.

En busca de la conciencia perdida

Para tener conciencia de cómo te afectan tus propias decisiones en el ámbito económico, es muy importante saber llevar la contabilidad personal.

Con el dinero es muy fácil perder la perspectiva. Tras tantos años trabajando en la banca he visto que existen los dos extremos sobre la responsabilidad respecto al dinero, y que pueden resumirse como los dos polos opuestos siguientes.

Por un lado están *los que piensan demasiado en el dinero*. Son aquellas personas que sólo piensan en eso, que quieren más, más y más, y son tacaños y avariciosos. Estas personas se aferran a lo material, pero no suelen saber por qué. Pero es una obsesión para ellos, y su mundo gira en torno al dinero.

Y, por el otro lado, están *los que piensan demasiado poco en el dinero*. Son aquellos que quieren ser tan espirituales que se olvidan de que el dinero también es importante y es necesario para vivir. Son los que siempre tienen problemas económicos y piden constantemente a los demás dinero prestado y ayuda para salir del paso.

Esos son los dos extremos de la conciencia personal del dinero, y entre ellos hay centenares de situaciones diferentes en las que la gente lo lleva mejor o peor. Aunque si preguntamos, sea cual sea la realidad, la gente generalmente dirá que no le gusta su situación económica. O porque realmente tienen muy poco, o porque siempre quieren más.

Pero cuando uno aprende a relacionarse con el dinero, acaba tomando el camino de en medio. Para entender esto de forma clara, piensa en un arco. Si te imaginas uno ahora mismo, verás que también tiene dos extremos: la punta de arriba y la de abajo, y la cuerda va de un extremo al otro. Pero instintivamente sabes, y cualquier arquero te lo confirmará, que si quieres que tu flecha salga recta, tendrás que tirar desde el centro de la cuerda.

El centro entre los dos polos extremos. Ése el camino del equilibrio y el camino de la fuerza.

Además, cualquier arquero te dirá también que, antes de tirar la flecha, hay que fijarse un objetivo, respirar profundamente, concentrarse y tener conciencia de la diana. Ésa es la manera de que la flecha llegue a su destino y no se pierda por el camino.

Con el dinero hay que hacer lo mismo que harías con ese arco: *tomar conciencia y elegir el camino del centro.* No se trata de rechazar el dinero, porque, lo queramos o no, es necesario, pero tampoco se trata de aferrarse a él. Lo que hay que hacer es aprender cuál es la medida justa del dinero, pensando en nuestra propia situación y en nuestras necesidades reales.

Es decir, que hay que pensar:

- En qué medida necesitas tú el dinero.
- En qué medida lo necesitan los demás.
- En qué medida la Tierra puede soportar la explotación a la que la sometemos actualmente.

De esta forma, podrás comprender el verdadero valor que tiene el dinero para ti y para todos.

Estas cuestiones que hemos visto debes tenerlas en cuenta cada día, a la hora de emplear tu dinero, ya sea para comprar, ahorrar o donar. Así, el uso del dinero se puede convertir en un camino de conocimiento y de crecimiento personal.

De lo contrario, el dinero puede dañarte y además dañar a los demás.

6.1 LA TRAMPA DEL DINERO

Raramente lo pensamos, pero el dinero puede tener un efecto nocivo para la salud del cuerpo y la mente. Igual que tomar un poco de azúcar está bien, pero demasiado es malo, lo mismo sucede con el dinero: usarlo con moderación es bueno, pero usarlo o acumularlo en exceso puede ser perjudicial para nosotros.

Cuando uno tiene una tendencia compulsiva a comprar, tiene un problema, porque compra cosas que no necesita.

Seguro que te ha pasado alguna vez, o a alguien de tu familia, y habéis ido a comprar algo para sentiros mejor cuando teníais un mal día. Da igual que sea un cruasán que un móvil nuevo, lo habéis hecho para sentiros mejor.

Pero, ¿por qué intentamos solucionar los problemas comprando? La respuesta tiene que ver con la sensación de que nos falta algo. Sólo que, casi todas las veces, *lo que nos falta no es algo que podamos comprar con dinero.*

En esta era consumista que nos ha tocado vivir, y que tú vas a heredar si no haces algo para cambiarlo, nos intentan convencer de que el dinero puede darnos la felicidad que buscamos. Y así, compramos para rellenar el vacío que tenemos dentro, ese vacío que surge por no saber quiénes somos realmente ni qué queremos hacer con nuestra vida.

En este mundo materialista que nos rodea, la única forma que se nos ocurre de llenar el vacío es acumulando trastos.

Lo que pasa, sin embargo, es que da igual cuántas cosas compremos, porque el vacío nunca se llena. Quizá nos sentiremos exultantes durante un rato, pero pronto volveremos a sentirnos vacíos por dentro. Y eso se debe a que lo que nos falta es algo espiritual, no material, y no lo arreglaremos comprando cosas.

Es como si tuvieras hambre. Si tienes hambre, no servirá de nada que te pongas mucha ropa encima, como si tuvieses frío. ¿O acaso se te quitará el hambre a base de cubrirte con capas y capas de ropa? No, claro que no. Porque son necesidades distintas. La ropa no puede sustituir a la comida, igual que tener uno de esos robots que hablan no puede sustituir el trato con las personas.

Con el vacío interior sucede lo mismo: no podemos llenarlo rodeándonos de trastos, por muy modernos y caros que sean. Puedes comprar un almacén entero, que al final seguirás igual de triste. Porque ese vacío del que hablamos es espiritual, y hay que llenarlo de otras formas que, a menudo, son gratis. Ese vacío tiene que llenarse con diversión, descanso, realización personal o relaciones familiares y sociales de calidad.

Más vale tener un puñado de buenos amigos o de objetivos en la vida que un puñado de trastos de nueva generación. Más vale comer sano y sencillo, que comprarse luego productos para adelgazar y luchar contra el colesterol. Más vale tener unos compañeros con los que jugar en la calle, que estar encerrado en casa solo con el ordenador. Más vale salir a pasear un rato por el campo, que apuntarse a cursos antiestrés.

La trampa de poner dinero en el vacío interior

El placer y la satisfacción están en las cosas sencillas. Pero hay gente muy rica que no le encuentra el sentido a la vida, y ni todos los millones que tienen en el banco les hacen sentir mejor. Y eso se debe a que se creyeron la mentira de que el dinero les aportaría todo lo que necesitaban en la vida. Pero luego tienen ese dinero, y ven que aun así no se sienten bien. Y se preguntan qué han hecho mal, o qué pasa con ellos.

De hecho, hay estudios que afirman que cuanto más crece la riqueza de un país, más aumentan los casos de personas que se quitan la vida. Y esto pasa porque a medida que aumenta el dinero, aumenta el consumo. Y cuanto más consumimos, más nos apartamos de nosotros mismos y de las necesidades reales que tenemos: una familia, unos amigos, un objetivo, el amor por uno mismo.

Eso es muy importante tenerlo en cuenta, y lo repito: *a más dinero y más consumo, más riesgo hay de distanciarnos de nosotros mismos.* Por eso se insiste en que es muy importante que las personas que se hacen ricas de golpe, como los futbolistas o algunos artistas, sepan mantener los pies en el suelo. Para que sigan dándole la importancia que tiene, ni más ni menos, al dinero. Si no, corren el peligro de caer en la trampa y sentirse ricos por fuera pero tristes por dentro.

Por eso la contabilidad personal, el control del dinero, tiene que gestionarse en dos aspectos muy diferentes pero igual de importantes:

- *Gestión numérica:* para estar en el camino de en medio, el que hemos visto con el arco, para no acumularlo sin motivo pero tampoco gastarlo a lo loco.
- *Gestión espiritual:* para separar nuestras necesidades internas de las externas, y no intentar llenar los vacíos interiores con dinero.

De ahí que sea tan importante hacerse las preguntas de las que hemos hablado antes: *qué compramos, por qué lo compramos,* y *si lo necesitamos.* Si conseguimos averiguar cuál es el desencadenante del deseo de la compra, si logramos localizar cuál es ese vacío que intentamos llenar, estaremos dando un gran paso hacia la conciencia activa y el uso responsable del dinero.

Por ejemplo, si sientes la necesidad de comprar un móvil de última generación, debes preguntarte de dónde procede esa necesidad. Es posible que en el fondo lo único que te pase es que tienes miedo de que te rechacen si no lo tienes. Pero por muchos móviles que te compres, seguirás teniendo esa inseguridad interna. Lo que tendrías que hacer, en realidad, es ser feliz contigo mismo, aceptarte como eres y rodearte de personas que te quieren tal cual.

Yo siempre digo a la gente que, en vez de irse de compras, se pare y lea un libro o hable con los amigos, que seguro que les alimenta mucho más. Porque, al final, lo que más nos aporta en el día a día, y en la vida en general, tiene poco que ver con el dinero que gastamos o que nos empeñamos en acumular.

6.2 LA CONCIENCIA NUMÉRICA

Una de las consecuencias que tiene esa necesidad de llenar el vacío interior con el dinero es que la gente se está endeudando.

De hecho, más del 90 % de los clientes de un banco, cuando llega final de mes, no saben cuánto dinero han gastado con la tarjeta de crédito. Es decir, no saben cuáles han sido sus gastos ni si se han pasado. Y esto sucede muy fácilmente con ese tipo de tarjeta, porque como no te va informando de lo que has gastado hasta que te pasan el cobro, hace que no seas consciente de lo que has despilfarrado.

El problema es que cuando llega ese cobro, muchos se sorprenden y se llevan las manos a la cabeza.

En mi trabajo, muchas veces venía gente al banco a decirme: «Oye, Joan, que me han cobrado este mes mil quinientos euros en la tarjeta de crédito, y tiene que ser un error. Yo no he gastado tanto».

Y yo les decía que sí, que seguro que nos habíamos equivocado… Que se sentaran, que íbamos a mirarlo. Y cuando sacaba el extracto, veíamos que habían ido a una marisquería con unos amigos, que otro día habían ido a otro sitio, y que además habían comprado tal cosa, y así íbamos sumando. Entonces decían: «Ay sí, ay sí…», y empezaban a ser conscientes de sus gastos, pero cuando ya era demasiado tarde.

Porque ya estaba gastado, y ahora tenían que pagarlo.

Y, así, había personas que, cobrando mil euros al mes, se gastaban mil quinientos. Es decir, se estaban gastando un dinero que en realidad no tenían. Se estaban endeudando sin darse cuenta, y creando un estilo de vida que no podían permitirse y al que luego les costaría mucho renunciar.

¿Por qué pasa esto? Pues porque cuando usas una tarjeta, que además no te informa de lo que llevas gastado, la conciencia sobre el dinero cae en picado.

Es como si tuvieras un saco del que vas sacando patatas cuando las necesitas para freírlas o hacer tortilla, sin fijarte en las que quedan en el interior. Llegaría un día en que meterías la mano en el saco y no encontrarías nada para hacer la cena. Y ya no podrías hacer la tortilla, o el puré, o lo que tuvieras que hacer.

Pero si, en cambio, vas echando un ojo a las patatas que quedan cuando sacas alguna del saco, sabrás cuándo tienes que comprar de nuevo, o podrás decidir usarlas con más cuidado hasta que tengas suficiente ahorrado para comprar otra vez.

Con el dinero de la cuenta corriente sucede lo mismo: *si no miramos lo que gastamos o lo que queda, nos encontraremos con una sorpresa.* Por eso siempre digo que el extracto de la tarjeta de crédito es como una fotografía del subconsciente humano. Nos habla de nuestra propia responsabilidad y capacidad de gestión personal.

Vivir de lo que no tienes

Como acabamos de ver, es peligroso gastar más de lo que se tiene porque, al igual que con las hipotecas, te resta libertad. A pesar de ello, es una práctica muy común en nuestra sociedad, e incluso tiene un nombre: se llama *vivir a crédito*.

Cuando esto ocurre, es que se está gastando más de lo que se tiene. En esos casos, aquello que se ha gastado de más, el extra que supera los ahorros, tendrá que devolverse con lo que se cobre más adelante. Es decir, que habrá que descontar una parte, o la totalidad, del próximo sueldo o ingreso para cubrir esos gastos. Y eso implica quedarse con menos dinero para gastar el mes siguiente.

Vivir así quita mucha libertad. Uno sólo tendría que pedir créditos para cosas que luego tendrán un valor. Es decir, para crear empresas o desarrollar ideas que luego nos permitan devolver lo que hemos pedido y, además, ganar algo de dinero en el proceso. De lo contrario, acabaremos más pobres aunque hayamos obtenido ese dinero de más.

Hay que tener en cuenta que los créditos implican deudas. Es decir, que deberemos un dinero que luego habrá que pagar. Las deudas implican tener que estar pagando hasta que lo devolvamos, con sus intereses, y no es raro que tengamos que pagar algo más como penalización por el retraso.

Por eso, el crédito sólo tendría que pedirse para producir una riqueza o una ganancia: para comprar una máquina para un negocio, para crear una nueva empresa o para comprar una casa que luego será de tu propiedad, por ejemplo. En esos casos nos endeudamos, pero eso nos permitirá crear luego una riqueza o unos beneficios que serán buenos para nosotros y que harán que la transacción haya valido la pena. Al final habremos obtenido más dinero o valor, no menos.

El problema viene cuando te endeudas, por ejemplo, para pagar cosas que no te dan beneficios, como por ejemplo para pagar el último *smartphone*. Porque podrás presumir de teléfono, pero no te estará dando ningún beneficio. Simplemente lo tendrás hasta que se estropee, te lo roben o decidas que ese ya está desfasado y necesitas el nuevo modelo. Será dinero perdido.

En este ejemplo, lo mejor sería comprar un teléfono que pudieras pagar sin endeudarte. A lo mejor no está tan a la moda, pero tendrías algo mucho más importante: serás libre económicamente y podrás estar tranquilo y orgulloso de ti mismo.

Endeudarse para comprar una casa, por otro lado, está bien siempre que planteemos una hipoteca sensata que podamos asumir. Porque aunque tengamos que pagar un tiempo, luego la casa será nuestra. Y si vienen dificultades más adelante, al menos tendremos un lugar en el que vivir.

El problema viene cuando la gente compra demasiadas cosas que probablemente no necesita, como coches. Antes la gente vivía sin coches, y no pasaba nada. Ahora tiene un coche cada miembro de la familia, con todos los gastos extras que eso implica.

¿Cuánto cuesta tu libertad?

En el banco, yo siempre me encontraba gente dispuesta a endeudarse, sin pensar mucho en ello, y muchas veces por tonterías. Pero si ellos no aplicaban la sensatez, yo intentaba ponerla cuando era posible. Por ejemplo, me negaba a dar créditos para pagar un viaje. A esa persona que, cobrando poco, quería hacer un viaje muy caro porque sí, yo se lo negaba. Me parece una barbaridad irse diez días al Caribe para estar pagándolo durante tres años.

Tres años de deuda por diez días de vacaciones que quizá podrían haber disfrutado de igual manera en la montaña o en las playas cerca de su casa. El problema es que la publicidad nos repite que el Caribe es lo mejor, que así serán más felices.

Quien se mete en un gasto así no se da cuenta de cómo se sentirá al año siguiente, cuando no podrá hacer otro viaje parecido y además quizá se vea en dificultades por tener que pagar ese crédito.

Por eso digo que el crédito te quita libertad. Porque hace que accedas a un tipo de consumo, como la compra de coches o los grandes viajes, que te crea una necesidad de seguir con ese mismo ritmo. Es como quien fuma: cada vez le apetece fumar más, y fumar menos cuesta horrores.

Lo mismo sucede al gastar dinero: cuando viajas un año al Caribe, al año siguiente te costará conformarte con unos días en el pueblo. Y eso hará que quieras endeudarte otra vez, o que te sientas pobre y desgraciado cuando antes ni siquiera habías tenido esa sensación.

La gente no se da cuenta de lo que supone endeudarse. Se compran un coche, porque les apetece y porque todo el mundo tiene uno, pero luego tienen que pagar el impuesto, el seguro, el mantenimiento y las reparaciones. ¿De verdad necesitan el coche? ¿No podrían alquilar uno el día que de verdad lo necesiten?

Lo mismo sucede al pagar una casa. Normalmente, mientras aún se está pagando no se dice que tienes una hipoteca, sino que estás hipotecado. Porque estás atrapado. Mientras tengas que pagarla, estarás en deuda con el banco y éste tendrá poder sobre ti. Ni siquiera podrás irte a otro banco mientras tengas que pagarles a ellos, y eso pueden ser muchos años. Así que incluso cuando el motivo es sensato y positivo, *las deudas son molestas y represoras.*

Por eso, tomar conciencia es un camino de crecimiento personal y de libertad. Porque te conoces a ti mismo, te das cuenta de cuáles son tus necesidades reales, y te permite no endeudarte más de lo necesario. Y eso, a la larga, vale más que todo el oro del mundo.

Estar bien con uno mismo es lo que no tiene precio de verdad.

6.3 RECORDAR A LOS DEMÁS

Anteriormente hemos hablado de lo importante que es tomar conciencia de cómo nuestro dinero, y la forma en la que lo utilizamos, afecta a las demás personas. Tanto a las que están cerca, como el frutero de nuestro barrio, como a las que están lejos y no conocemos.

Volvamos al ejemplo de las manzanas que cosechábamos, y de las que teníamos de sobra. La sociedad actual, que nos invita a pensar sólo en el «yo», en el «no ser tonto», y en la importancia de acumular lo máximo posible, nos dicta que debemos guardarnos todas esas manzanas para nosotros. Por lo que pueda pasar.

Pero si sólo pensamos en nosotros, significa obviamente que nos estamos olvidando de los demás. Y aquí es donde debemos hacer el ejercicio de despertar la conciencia y levantar la vista de nuestro ombligo para mirar lo que hay a nuestro alrededor. Si lo hacemos, podremos ver muchas cosas que antes nos pasaban desapercibidas.

A lo mejor tenemos trabajadores en nuestros campos, los que siembran y recogen nuestras manzanas, que con lo que les pagamos apenas pueden permitirse la fruta que han ayudado a recoger. O quizá vemos a personas que no han trabajado para nosotros, pero que igualmente pasan hambre. También es posible que veamos gente que únicamente con la piel de nuestras manzanas, eso que nosotros descartamos, podrían crear jabones, cosméticos naturales, biocombustible o compostaje. A lo mejor hasta vemos animales salvajes que desfallecen, y que se comerían felices las manzanas que nosotros desecharíamos por estar muy maduras o arrugadas.

Esto debería hacernos pensar que, tan sólo compartiendo nuestras manzanas, o gestionando mejor su producción, podríamos crear un bien a nuestro alrededor y ayudar a los demás en vez de ocuparnos solamente de nosotros mismos.

Pero para eso, es necesario realizar un cambio de pensamiento y *despertar nuestra generosidad dormida*. Porque la tenemos, seguro, pero la hemos ido dejando de lado hasta que nos hemos olvidado de que la teníamos.

Seguramente, cuando eras pequeño e ibas a la guardería, te enseñaron a compartir. A compartir los juguetes, los lápices de colores e incluso la merienda con tus compañeros de clase. En casa, si tienes hermanos, probablemente tus padres también habrán insistido en la importancia de compartir las cosas con ellos y de repartirlo todo de forma igualitaria. Y os habrán dicho que os mantuvierais unidos, y que os ayudarais cuando hiciese falta. Ése es el espíritu que debemos recuperar.

El egoísmo aprendido

A medida que nos hacemos mayores, el problema es que nos enseñan a mirar por nosotros mismos y olvidarnos de los demás. Nos enseñan a competir y a intentar ser mejores que los otros, porque así podremos triunfar. Esto es muy común en el mundo laboral e incluso en los estudios, en los que para conseguir algo, como una beca o una subvención, hay que superar a otras personas que tienen nuestra misma necesidad.

Lo que la sociedad tendría que hacer es aprender a mirar atrás, y recobrar aquella conciencia de comunidad que nos enseñaron cuando éramos pequeños. Esa conciencia de formar parte de una sociedad que aún tienen algunos pueblos de la Tierra y que actualmente nos sorprende como si fueran de otro planeta.

Nos hemos convertido en competidores, en vez de darnos cuenta de que estamos todos en el mismo barco: *el 99 % de la población sufrimos los mismos abusos por parte de ese 1 % que lo controla y lo acumula todo*. Nuestro vecino no es nuestro enemigo, ni lo es el comercial que quiere vendernos algo para ganarse su sueldo, ni el tendero que tiene los precios que le imponen el mercado o el Gobierno. Ellos, como todos, son personas que están supeditadas a las multinacionales, a los grandes bancos y a los políticos.

Por eso tenemos que responsabilizarnos de nuestro trato con los demás, también en el ámbito económico. Y al utilizar el dinero, debes pensar si:

- Al comprar algo estás dañando o favoreciendo a los que te rodean.
- Al confiar en un banco estás favoreciendo que no se respeten los derechos humanos.
- Podrías asociarte con otras personas que tengan los mismos valores que tú.

- Podrías compartir lo que tú tienes con otros que puedan necesitarlo.

De esa forma, recordando que hay personas a nuestro alrededor y que pueden estar viviendo las mismas dificultades que nosotros, crearemos esa conciencia social que nos ayudará a crear un mundo mejor. Si lo hacemos, crearemos una fuerza común capaz de enfrentarse incluso a los gobiernos.

Por eso, en vez de atesorar tus manzanas como un dragón su tesoro, puedes extender la mano e intercambiarlas, compartirlas o donarlas. Y lo mismo con tu dinero.

Así serás consciente de que eres parte de una especie y no un animal solitario que no necesita nada más que su tesoro para la supervivencia.

6.4 ABRIR LOS OJOS A LO QUE NOS RODEA

Por último, pero no menos importante, es vital que te conciencies de que, como decía un célebre jefe indio, *somos parte de la Tierra*, que no la poseemos, ni es nuestra, sino que formamos parte de ella. Esto es lo que les dijo el jefe indio Seattle a los hombres blancos que vinieron a comprarle «sus tierras».

Y es que no sólo formamos parte de la raza humana, y debemos ayudar y respetar a nuestros semejantes, sino que también somos parte y producto de la naturaleza. Y por eso debemos respetarla y devolverle la vida que nos ha dado.

Si cosechamos y acumulamos manzanas y las compartimos, eso estará bien siempre que no se dañe la tierra de la que nos estamos aprovechando. Pero si explotamos demasiado el suelo, éste se volverá infértil y árido, y si utilizamos demasiada agua para regar estaremos creando sequías. Y si, además, para tener más manzanas, ampliamos nuestros cultivos, estaremos echando de su casa a las plantas y a los animales que habitaban el lugar antes.

Así que tendremos muchas manzanas, sí, pero en pocos años no tendremos nada más, y en otros pocos años ni siquiera tendremos las manzanas porque la tierra estará tan herida que ya no podrá dárnoslas.

¿No sería mejor hacer las cosas de otra forma, entonces? La respuesta es sí. Lo que tendríamos que hacer es cultivar sólo las manzanas necesarias, y hacerlo de forma que cuidáramos tanto nuestros cultivos como lo que hay a su alrededor.

Todo eso de las manzanas está muy bien, puedes pensar, pero no es algo que tenga que ver contigo. Lo más probable es que no seas granjero y que no tengas manzanos, lo mismo que yo.

Pero hay muchas clases de manzanas que producimos o bien consumimos. Con el escritorio, el ordenador o el *smartphone* de los que ya hemos hablado sucede lo mismo.

Ya hemos dicho que una de las claves para comprar con responsabilidad es que te preguntes de dónde viene aquello que compras. Porque puedes decidir si compras tus cosas a una empresa que las produce lejos y explotando a las personas y a la tierra, o si las compras a una empresa que las produce aquí al lado, de forma digna y ecológica con un poco más de coste.

Cuando seamos conscientes de que formamos parte del mundo, no sólo no nos importará pagar ese poquito de más, sino que nos sentiremos felices y orgullosos por ello.

Sé tu propio Pepito Grillo

Si conoces la historia de Pinocho, probablemente te suene el nombre de Pepito Grillo, su voz de la conciencia. Aunque muchas veces Pinocho no quería escucharle, al final era siempre el pequeño grillo el que le sacaba las castañas del fuego. Porque tenía conciencia, precisamente.

Es normal que no nos guste escuchar esa voz que nos anima a ser consecuentes y responsables, porque parece que nos quita la diversión: no salgas a jugar si llueve tanto que puedes resfriarte, no despilfarres el dinero en ese teléfono tan caro, no compres ese vestido que no necesitas...

Pero al final, esa voz de la conciencia puede sacarnos, como a Pinocho, del interior oscuro de la ballena. No es que no haya que disfrutar de las cosas materiales, claro que sí. Yo también me compro libros y salgo a cenar de vez en cuando. Pero hay que hacerlo con mesura y siendo conscientes de dónde están nuestros límites. Tener en cuenta que *si hoy gastamos demasiado en una tontería, quizá mañana no tendremos para algo que necesitamos de verdad.*

Si el mes pasado alguien se gastó demasiado dinero yendo a restaurantes caros y pagando viajes al otro lado del mundo, el mes que viene querrá repetir las experiencias porque se lo pasó bien. Pero como todavía estará pagando los excesos anteriores, ya no tendrá simplemente que conformarse con ir a una hamburguesería y salir un par de días al pueblo de al lado, es que probablemente tendrá que quedarse en casa encerrado.

Por eso la voz de la conciencia tendría que ayudarnos a encontrar el punto en el que tenemos que decirnos «basta» a nosotros mismos. Y eso, con el dinero, se consigue sabiendo lo que haces cada mes. Es decir:

- Cuántos ingresos tienes.
- Qué gastos fijos tienes.
- De los gastos extras, cuáles son innecesarios.

Puede parecer molesto, sobre todo cuando todo a nuestro alrededor nos invita a comprar compulsivamente. El mundo nos seduce para que caigamos en la tentación.

Pero, al final, tomar conciencia nos ayudará a conservar la libertad. Lo idóneo sería un menor consumo material y un mayor consumo cultural, pues lo material nos esclaviza, mientras que lo cultural nos da la libertad.

7

OTRO MUNDO ES POSIBLE

En la época de Darwin, había un científico al que apodaban el Príncipe Anarquista, llamado Piotr Alekséyevich Kropotkin. Este gran hombre afirmó que *la naturaleza funciona por cooperación, no por lucha.* Toda una revolución.

Kropotkin decía que no hay que extrapolar ni distorsionar el hecho de que un lobo se coma una oveja, pues con ella alimenta a su manada, e incluso en esta acción existía un equilibrio que mantiene a ambas especies.

Actualmente, los científicos también han demostrado que la evolución sucede gracias a la cooperación entre los organismos, más que por la depredación o el parasitismo. Estas últimas matan, mientras que la simbiosis, que es la relación en la que ambas especies salen beneficiadas, construye un mundo mejor.

Además, cuando colaboramos, nuestras capacidades se multiplican, al contrario de lo que sucede cuando uno sólo dedica sus capacidades a sí mismo. En ese caso se atrofian y pueden dañar lo que hay alrededor.

Me pregunto qué pensaría el jefe indio Seattle, de quien hemos hablado antes, si viera cómo está el planeta ahora. Tal como él decía, la Tierra es un ser vivo del cual formamos parte. Pero ahora está enferma, y debemos curarla antes de que muera.

Hay que partir de la base de que *los responsables de lo que está pasando en nuestro planeta somos nosotros mismos. E intentar saber qué es lo que depende de cada uno.* Lo que depende de ti y de mí.

Entre otras cosas, deberíamos dejar de comer mal o en exceso, e incluir en nuestra dieta más verduras y frutas, que son productos naturales y muy sanos. Y si además consumimos productos de cercanía, cultivados ecológicamente, no sólo lograremos una mejor salud, sino que estaremos ayudando a los productores locales y a los de los otros países, que no tendrán que cultivar para nosotros a unos precios injustos y podrán quedárselo para comer ellos.

De este modo, todos tendremos algo para comer.

Tomar conciencia de la educación

Para crear otro mundo, para cambiar las cosas y hacer que vayan a mejor, es necesario un cambio de conciencia personal y social.

El modelo equivocado que aún se está promoviendo, el del consumo por el consumo, es el que nos ha llevado a la situación actual. Cada vez tenemos más problemas sociales, económicos y medioambientales. Queda claro que este sistema no funcionará nunca y sólo conllevará conflictos y guerras.

Por eso es importante que vayamos todos por el mismo camino. Y para hacerlo, *necesitamos unir nuestra conciencia individual a una conciencia colectiva.* Y tú puedes poner tu granito de arena para hacer ese cambio.

A menudo se dice que en los jóvenes como tú está el futuro, y es verdad. De cómo os eduquemos a vosotros, los jóvenes, dependerá el modo en que sea el mundo de mañana. Porque lo crearéis y lo dirigiréis vosotros. Por eso es tan importante cambiar el sistema educativo y adecuarlo a esta nueva concienciación tan necesaria.

Lo que pasa es que muchas veces, a los que ya somos mayores, nos cuesta cambiar.

Pero si tú te das cuenta de que las cosas se pueden hacer de forma diferente, si lees esto y piensas que es verdad, *puedes convertirte tú en uno de los educadores que cambien las cosas.* Lograrás influir en tus profesores, en tu familia y en tus amigos, y tal vez convertirte tú en el profesor por una vez. Porque muchas veces han sido los jóvenes los que han creado el cambio, y vosotros que aún tenéis fuerza y energía podéis enseñarnos muchas cosas a los mayores.

7.1 LOS TRES PASOS HACIA LA NUEVA REALIDAD

Cambiar esa conciencia de la que hablamos tal vez parezca difícil, pero se puede conseguir si nos esforzamos. Uno de los primeros pasos es empezar a hacernos las preguntas apropiadas sobre el dinero que ya hemos visto, y que nos ayudan a ser más éticos y responsables.

Lo bueno es que los jóvenes como tú podéis empezar desde cero con una mentalidad más abierta, más consciente, que podéis transmitir a toda la sociedad.

En el mundo que yo me imagino, el que construiréis vosotros, desaparecerá el egoísmo y el mirar sólo por uno mismo buscando el máximo beneficio. Esa sociedad que yo imagino estará regida por *tres principios que nos hacen humanos: la libertad, el amor y la creatividad.*

Hacia la libertad

Para ir hacia la libertad, necesitamos conocimiento. Se dice que la verdad nos hace libres, y así es en realidad. Porque *saber la verdad de las cosas nos permite elegir nuestro camino*, y ser consecuentes con las decisiones que tomamos en todos los ámbitos de la vida.

Por tanto, teniendo en cuenta que estamos destruyendo el planeta, lo primero que habría que hacer es cambiar la forma de consumo a nivel global. *Pasar del consumismo al conocimiento.* Es decir, pasar de un consumo material a otro cada vez más cultural.

Por ejemplo, al entrar en un Duty Free de un aeropuerto, en vez de encontrar perfumes, whisky, coñac y cosas así, sería magnífico que hubiera más libros, conferencias en DVD y otros alimentos para el alma. También sería importante que cada vez hubiese más profesores, más escuelas, más música, más pintura, más escultura, más arte y, en definitiva, más conocimiento. Y que fuera una cultura que estuviéramos dispuestos a pagar, igual que estamos dispuestos a pagar por consumo material.

En suma, volver a darle más importancia al conocimiento y valorar la aportación de los demás.

Si la educación os enseñara cómo ser libres, y a desarrollar vuestras capacidades en vez de haceros competir a unos con los otros, nuestro mundo sería un lugar mucho mejor. Para ello, la cultura y las humanidades son sumamente importantes, y habría que apostar más por las asignaturas en las que os permitan pensar y opinar más.

¿Por qué? Pues porque esa concienciación es la que nos

ayuda a desarrollar la libertad y la capacidad de promover los valores y la ética por la sociedad.

Promover el amor

Hablando de amor, a lo mejor te imaginas a una pareja que se besa a la luz de la luna y frente al mar. Pero el amor es mucho más que eso. El amor es aquello que mueve al ser humano y que le hace preocuparse y cuidar de todo lo que le rodea, incluido él mismo, sus allegados, el resto de las personas, y el planeta con todos sus habitantes.

Tiempo atrás, en casi todo el mundo, y también en las comunidades pequeñas de hoy en día, era muy habitual que las personas se preocuparan por los otros como si fueran de su misma familia. Es lo que mantuvo vivos a los primeros humanos, que sabían que uniéndose y enfrentándose juntos a los problemas podrían triunfar sobre las adversidades.

Además, *estar cerca de las otras personas nos hace sentirnos más vivos.*

Pero hoy en día son pocos los que demuestran su amor a los demás, muchas veces por recelo o por temor a que los otros se aprovechen de ellos. A lo mejor te han dicho alguna vez, o has oído decir, aquello de que no se puede ser bueno porque los demás se aprovechan de ello. Pero ese miedo que nos enseñan es una de las cosas que nos atrapa en el egoísmo y en la falta de conciencia.

Si conseguimos recuperar esa conciencia, volver a ayudarnos los unos a los otros y recuperar esa conciencia de comunidad, las cosas podrían mejorar. Y ese cambio también podríamos hacerlo en el ámbito económico, compartiendo el dinero y repartiéndolo de forma justa entre todos.

Igual que compartimos todo con las personas que queremos, y les hacemos regalos porque queremos lo mejor para ellos, tendríamos que hacer lo mismo con el resto de la humanidad de la que formamos parte.

El desarrollo de la creatividad

Cuando eres libre y capaz de amar es cuando eres creativo. Las tres cosas, la libertad, el amor y la creatividad, están muy ligadas entre sí.

El conocimiento y la cultura, así como el deseo de ayudar a los demás, son los que hacen que se desarrollen nuestra creatividad y nuestra imaginación, porque queremos encontrar nuevas formas de hacer las cosas, y construir soluciones para los problemas que podamos tener nosotros, las personas que nos importan, o la sociedad y el mundo en general. Y el conocimiento, que deriva de la cultura y la educación, nos da las herramientas para hacerlo.

Cuando aplicamos nuestra creatividad para mejorar las cosas, estamos creando riqueza social y económica.

Si recordamos el ejemplo que hemos puesto al principio del libro sobre el hombre que fabrica una carreta para transportar sus verduras, veremos una prueba de ello. Ese hombre ha utilizado la libertad para decidir hacer las cosas de forma distinta y su creatividad para crear la carreta. Si es egoísta, se quedará la carreta para él solo, para enriquecerse él sin pensar en los demás. Pero ya hemos visto que ese tipo de comportamiento nos lleva a situaciones de crisis como la que hemos sufrido.

En cambio, si es buena persona y quiere promover el amor, le prestará la carreta a otros o les enseñará cómo hacer la suya, con lo que a su vez estará transmitiendo conocimientos muy valiosos.

Se trata de un ciclo en el que todos nos beneficiamos y que potencia que las cosas puedan volver a mejorar luego, cuando alguien nuevo tome la iniciativa. Hoy por ti, mañana por mí, como reza el dicho. Por ejemplo, eso sucederá cuando el otro decida que esa carreta puede cubrirse para proteger las frutas de las inclemencias del tiempo, y hacer que se estropeen menos y lleguen más frescas hasta el mercado.

Por eso hay que volver a dar importancia a las ideas constructivas y a la creatividad. Porque son las que mejorarán el mundo, tal como ha sucedido a lo largo de la historia.

Una sociedad dedicada al pensamiento

En un futuro próximo, debería haber cada vez menos gente trabajando en lo manual y más personas dedicadas a lo cultural. Es decir, llegar a un estado social en el que, trabajando menos horas al día, sólo durante unos cuantos años en la vida, toda la humanidad tuviera sus necesidades cubiertas. Las físicas, me refiero, porque son fáciles de cubrir. Alimentos, abrigo, un techo. Y así la gente podría dedicar más tiempo al trabajo espiritual, para cubrir también las necesidades internas que ahora erróneamente nos impulsan a comprar.

La gente puede llamarme idealista, y es verdad. Porque tengo un ideal. Pero es un ideal asequible, que se puede realizar, siempre que estemos dispuestos. Y siempre pensaré que puede hacerse, hasta que ya no esté.

Para ello hay que cambiar el signo de esta sociedad obsesionada por el dinero, por acumularlo o gastarlo porque sí.

Porque ése es el sentido que mucha gente le encuentra a su vida: el dinero.

Pero si quieres encontrar un verdadero sentido a tu vida, una conciencia y una ética, proponte cambiar las cosas y evitar que se siga haciendo lo que se quiera con el dinero. Con tu dinero al menos, que es el que puedes controlar.

Ésta es una frase que yo digo a menudo: *No con mi dinero*.

Para ser feliz y hacer felices a los demás, sólo tienes que dedicar tu vida a hacer cosas que te hagan sentir pleno, como aprender cosas o ayudar a los demás. Debemos dejar de obsesionarnos por las cosas materiales que tenemos o que queremos, para *pensar en lo que podemos hacer de valor por el mundo y por los demás*. Porque si cambiamos de actitud, tú, yo y otras personas que también están adquiriendo conciencia, podremos detener este consumismo sin sentido y parar la destrucción del planeta.

Tal como dicen algunos investigadores, en los próximos años puede subir cuatro grados la temperatura del planeta. Y eso puede conllevar consecuencias catastróficas. El ritmo actual de destrucción de la naturaleza es terrorífico, y los gobiernos no se ponen de acuerdo con las medidas a tomar. De hecho, los hay que sobornan a científicos para que digan que la cosa no está tan mal.

¿Y por qué? Pues porque hay mucho dinero en juego.

Nos venden que la economía es una cosa complicada, y sólo para los que entienden del tema. Pero ya has visto que no es tan difícil comprender qué es el dinero y cómo y por qué se mueve, y qué podemos hacer para cambiar el curso de las cosas. Y has visto que, haciéndote algunas preguntas y actuando con responsabilidad, puedes marcar la diferencia.

Cómo desarrollar la economía cooperativa

Tanto en la economía como en todo lo demás, nos encontramos en un combate espiritual. Lo primero que debemos hacer es tomar las riendas de nuestra vida.

Durante la Revolución francesa, uno de los mayores cambios sociales de la historia, que cambió para siempre Europa y el mundo, se hablaba de libertad, igualdad y fraternidad. Era un gran lema, una gran idea de personas que querían cambiar el mundo y hacerlo mejor y más justo para todos. Pero cuando estos conceptos se pervierten y se mezclan, por ejemplo aplicando la libertad en la economía, entonces fracasa.

Por eso, de lo que debería hablarse ahora para crear un mundo nuevo es de:

- *Libertad* en el ámbito intelectual y espiritual.
- *Igualdad* de los derechos de todos ante la ley.
- *Fraternidad* en la economía, donde unos, con nuestras capacidades y nuestro trabajo, cubramos las necesidades de los otros, y los otros cubran las nuestras con su trabajo. Es el principio del «apoyo mutuo».

El ser humano es capaz de desarrollar la economía cooperativa cuando toma conciencia, cuando descubre la realidad, y decide que a partir de ese momento quiere hacer las cosas mejor.

Aprender a fijarte en a quién compras, y qué hace esa persona con el dinero que le has dado también forma parte de un buen uso del dinero. Es el paso más sencillo que puedes dar para iniciar el cambio de nuestra sociedad.

Las posibilidades son miles, gracias a la creatividad y a *la capacidad que tiene la mente humana de aprender de sus errores.* Hoy en día, por ejemplo, existen asociaciones de agricultores ecológicos que, junto con comerciantes y consumidores, llegan a un acuerdo asociativo para que todos los involucrados consigan lo que necesitan sin aprovecharse de los demás.

Y así, aunque el dinero sea algo material, algo intangible con lo que se especula, nosotros le estaremos dando valor si lo repartimos de forma justa entre todos. Y, lo más importante, le estaremos dando nuestra conciencia y nuestra responsabilidad.

7.2 NUESTRA APORTACIÓN ES IMPORTANTE

Podría parecerte que porque unos cuantos se esfuercen en comprar con conciencia, no va a pasar nada. Que apenas vas a cambiar nada con lo grande que es la sociedad y lo extendido que está el consumismo, y lo poderosos que son los que mueven los hilos de la economía.

Pero la sociedad se compone de personas, y si éstas van cambiando sus hábitos, aunque sea poco a poco, al final se notará.

La historia está llena de ejemplos de personas que son capaces de obrar de otra manera. Muchos de los grandes hombres y mujeres de la historia han pasado desapercibidos pese a que han hecho mucho por la humanidad.

Todos los grandes cambios han empezado con pequeñas acciones. Y eso es lo que debes pensar a la hora de ir a hacer la compra, de guardar tus ahorros o de colaborar con los demás: que puedes crear un cambio para mejor, y así ayudarte a ti mismo, a los demás y al planeta. *Cada persona anónima puede ser un héroe de incógnito si se propone actuar por el bien de la sociedad.*

Y tú, *con tus actos, puedes convertirte en un ejemplo que otros seguirán.* Así, con un pequeño paso, se crean los movimientos sociales que cambian el mundo. Aunque seas joven, aunque creas que nadie va a hacerte caso, puede que te lleves una sorpresa. Eres capaz de cambiar el mundo, al menos el que está a tu alrededor, como tu propio hogar.

No dejes que te convenzan de lo contrario

Las grandes multinacionales, los gobiernos y los bancos que no son éticos harán lo posible porque sigas por el mismo camino de siempre, comprando a lo loco y sin pensar demasiado. Tratarán de mantenerte en la trampa económica en la que nos tienen atrapados a todos.

Pero *no caigas en la trampa de pensar que no puedes cambiar nada,* o que tus acciones no van a tener peso, o que no hay salida posible de la trampa que es la situación actual.

Si te fijas, verás que hay muchos otros que buscan lo mismo: una economía con conciencia. Existe la banca ética, el comercio justo y las empresas que defienden la dignidad del trabajador. Están a nuestro alrededor, sólo hay que mirar más allá de lo que es habitual.

Basta con que te digas: «Con mi dinero no lo permitiré». Con mi dinero no permitiré que talen bosques, no permitiré que exploten a los animales o que se aprovechen de las personas. Con mi dinero no permitiré que no paguen lo que toca a quien de verdad lo merece.

No con mi dinero.

Si tú tampoco quieres permitirlo, demuéstralo cuando vas a comprar, ejerciendo:

- La libertad de escoger a dónde va tu dinero.
- El amor de escoger ayudar a los demás.
- La creatividad de pensar que no quieres favorecer a los de siempre, los que se aprovechan, sino a los que tienen tu misma conciencia social.

Si no nos damos cuenta de lo que estamos haciendo, al final nosotros también sufriremos las consecuencias. *Como un boomerang, todo lo que se lanza vuelve a nosotros de una forma u otra.* Pero no es un castigo, es una ley universal.

Y eso es lo que pasa cuando compramos, como hemos visto con el lema de «yo no soy tonto», pero también sucede cuando ahorramos. Es importante que nos preguntemos por qué compramos tanto. Por qué gastamos tanto en las últimas navidades, por ejemplo, o por qué pasamos el rato yendo de compras. Al final, si tomamos conciencia de lo que compramos, cuánto nos gastamos y si necesitamos todo lo que tenemos, nos iremos haciendo conscientes y compraremos con mucha más cabeza y ética.

Todo depende de nosotros, de ti, de mí, de todos. Tuya es la libertad de escoger si compartes tus manzanas o dejas que se pudran en el almacén. Tuya es la libertad de enseñar a otros cómo fabricar una carreta, para que ellos también puedan mejorar su situación. Tuya es la libertad de comprar un escritorio o unas frutas que cumplan con los requisitos éticos y ecológicos necesarios. Tuya es la libertad de escoger el banco al que le vas a dejar tus ahorros.

Tú, que eres joven, tienes la libertad necesaria para cambiar las cosas. De preguntarte por qué seguir haciendo las cosas mal, como se han hecho hasta ahora.

Elige tu propio banco

Mucha gente sigue llevando su dinero a los bancos de siempre, incluso a aquellos que han hecho una gestión inadecuada de sus ahorros en los últimos años. Esto se debe principalmente a que:

- *Hay mucha desinformación:* la gente no sabe cómo funciona la economía y los chanchullos que se producen. En parte es normal, porque los que controlan la economía también controlan los medios de comunicación.
- *La rutina y la tradición:* como siempre hemos puesto el dinero en los mismos bancos, nos cuesta hacer el cambio. Como dice el refrán: «Más vale malo conocido, que bueno por conocer». Pero esto no tiene por qué ser así.
- *La gente se siente impotente:* las personas creen que no pueden hacer nada frente a los grandes bancos, los políticos y este sistema actual que beneficia sólo a los más poderosos.

Así, esa indignación tan necesaria se va igual que llega. Indignarse está bien, pero si la indignación no se convierte en un compromiso permanente no sirve de nada. De modo que hay que actuar.

Las entidades financieras deben estar gestionadas por personas expertas y profesionales, conforme a valores positivos. Nuestra crisis actual demuestra que nos encontramos en un momento insostenible que hay que detener y curar.

La política debería estar fuera de la economía para ser libre y poder controlar y regular la banca.

Y las personas deberíamos tomar conciencia y convertir nuestra indignación en un compromiso social que nos lleve a crear un cambio en el que el virus de la crisis económica se pueda erradicar.

Las cosas sólo cambiarán cuando los políticos, los banqueros y los trabajadores de las cajas digan «no» al tejemaneje económico. Y cuando las personas digamos «no» a que con nuestro dinero ahorrado se financien las malas prácticas que nos han llevado a casi todos a salir mal parados.

Yo soy un idealista, pero mi ideal es factible. No soy el único que lo piensa, y cada vez hay más personas que se están sumando a esa conciencia colectiva que puede ayudarnos a cambiarlo todo. Sólo hace falta creer que otro mundo es posible para empezar a construirlo y convertirlo en una realidad.

¿Qué puedes hacer tú? Luchar.

No te conformes con lo establecido y actúa con conciencia. Verás que no eres el único que lo hace. Y con ese cambio individual, si creamos alianzas con personas que piensan de igual manera, crearemos una fuerza que cambiará el mundo.

ANEXO

¿QUÉ HACE UN BANCO?

En esta última sección, aunque no menos importante, vamos a hablar de cuáles son las funciones de los bancos. Entender cuál es su misión y cómo la llevan a cabo es importantísimo, ya que son los bancos, al final, los que gestionan nuestro dinero y el de casi toda la sociedad.

El papel principal de un banco es el de guardar nuestro dinero. Como si fuese una caja fuerte, es un sitio en el que podemos depositar nuestros ahorros para que estén seguros, localizados y bien protegidos.

Pero además de esta finalidad tan básica e importante, el banco también nos ofrece otros servicios. Entre ellos, podemos destacar la liquidez o la hipoteca.

LA LIQUIDEZ

Éste es el servicio más importante que nos ofrece el banco. Liquidez significa que cuando necesitas una parte o la totalidad de ese dinero que tienes ahorrado, puedes retirarlo inmediatamente. En este sentido también funciona como una caja fuerte: puedes abrirla y sacar lo que necesites. Sin embargo, en función de cómo y cuándo quieras sacar el dinero, hay diferentes formas de guardarlo dentro del banco.

La cuenta corriente

Es aquella cuenta en la que ponemos nuestro dinero. Es decir, nuestro apartado personal en la caja fuerte. Se llama corriente precisamente porque es la cuenta que se utiliza para el dinero de cada día. Con esta cuenta gestionamos el dinero de la nómina, por ejemplo, y el que gastamos para hacer la compra o pagar el alquiler.

El dinero entra en esta cuenta a través de:

- *Efectivo:* es como meter el dinero en la caja fuerte literalmente. Coges los billetes y las monedas y los llevas al banco para que los pongan en tu apartado de la caja fuerte.
- *Transferencias:* sirven para pasar dinero de unas cuentas a otras sin tener que utilizar monedas y billetes. Es decir, que sería como si añadieran dinero a tu apartado de la caja fuerte desde la zona de otra persona o empresa. Este medio es muy común para pagar las nóminas de trabajo.
- *Cheques:* son documentos que representan el dinero que, por ejemplo, te tienen que pagar. En vez de darte todo el dinero que te corresponde y tenerlo que llevar de un lado a otro con el peligro de que te lo roben o se te pierda, se te da un documento que dice que ese dinero es tuyo. Al llevarlo al banco, el dinero pasa de estar en la cuenta de quien te ha dado el papel a estar en la tuya.

Resumiendo, la cuenta corriente es la cuenta básica donde entra el dinero que recibes con tu trabajo y del que sale el dinero que te gastas al realizar compras y pagos.

La cuenta de ahorros

Se utiliza para poner ese dinero que no nos gastamos, o que no nos queremos gastar. Es la cuenta que nos sirve para ir ahorrando. Esta cuenta sería como la hucha que reservamos para ocasiones especiales o para tener un dinero asegurado en el futuro.

Pero hay que saber que esta cuenta de ahorros puede ser de dos tipos:

- *A la vista:* son aquellas cuentas en las que el dinero está disponible como si fuese una cuenta corriente. Es decir, que tú puedes ahorrar, pero si en algún momento necesitas ese dinero, puedes abrir la hucha y sacar lo que necesites. Como mucho te pueden pedir quince días para dártelo.
- *A plazo:* esta cuenta se usa cuando tienes un dinero que sabes que no necesitarás en algún tiempo. Ese plazo puede ser de seis meses o de varios años, y durante ese tiempo no puedes sacar el dinero de la cuenta, en la que va aumentando. ¿Y cómo aumenta? Pues gracias a que el banco presta dinero a las empresas, y éstas agradecen el préstamo dándote una recompensa, los intereses, por el dinero prestado. Es como si tu hucha tuviera un mecanismo que impide que se abra hasta que llega el día fijado.

El interés o remuneración que nos ofrecen por nuestro dinero oscila mucho y depende de la situación económica. En estos últimos años, el tipo de interés es muy bajo, y esto perjudica a los ahorradores, pero en contrapartida debería servir para dar préstamos muy baratos a las empresas para que puedan renovarse y crecer, y así crear nuevos puestos de trabajo.

Lo importante es darse cuenta de que todo está vinculado: si se paga mucho a los ahorradores entonces los préstamos serán muy caros y esto perjudicará a otros. Esto también ha sucedido en otras épocas, en las que los intereses de las hipotecas llegaron hasta un 19 % y las personas no podían pagar las cuotas.

Los fondos de inversión

También sirven para dejar nuestro dinero y hacer que aumente, pero funcionan de forma diferente a las cuentas de ahorro.

En este caso, el banco no da crédito a las empresas. Es decir, no les presta el dinero, sino que lo invierten directamente en forma de capital, y por lo tanto el inversor se convierte en socio de la empresa. Y si hay beneficios, los reparten entre todos, pero si hay pérdidas, afecta también a todos. O sea, que existe un riesgo. Si la empresa tiene éxito, nuestro dinero aumentará, pero si a la empresa no le va bien, nuestro dinero puede disminuir.

Por eso es importante saber cuál es la empresa en la que se quiere invertir, quiénes la gestionan, cuáles son sus valores, etc.

Los productos estructurados

Estos productos los comentaremos muy por encima, ya que son opciones muy recientes que han creado los bancos, y que son bastante difíciles de comprender.

En estos casos ya no se invierte en nada concreto, sino que el banco hace apuestas especulativas respecto a los precios futuros de las cosas, como los cereales, el petróleo, el acero, el cobre, etc., o sobre cómo evolucionarán los precios en las diferentes bolsas del mundo. Pero son muy complejos y han afectado de forma errática a la economía mundial.

Resumiendo, las opciones que tenemos en el banco son:

- *La cuenta corriente*, en la que el dinero entra y sale continuamente.
- *La cuenta de ahorros*, en la que se pone el dinero que no queremos gastar, al menos en un tiempo, y que queremos que aumente todo lo posible.
- *Los fondos de inversión*, a través de los cuales el banco da nuestro dinero a las empresas para que lo utilicen y nos den parte de sus ganancias. Aunque debemos tener en cuenta que también podemos perder dinero si ellos tienen pérdidas.
- *Los productos estructurados*, con los que el dinero se utiliza para especular respecto a los precios que tendrán las cosas en el futuro.

EL PRÉSTAMO

Éste es otro servicio que ofrece el banco y que viene a ser lo opuesto a la liquidez. Es decir, que en vez de ir al banco para dejar dinero, se va al banco para pedírselo.

Y para pedirle dinero prestado al banco, también hay varios métodos distintos:

El préstamo personal

Sirve para pedir dinero al banco para comprar cosas o servicios a nivel particular, como comprar un ordenador, un coche, o pagar un máster en la universidad.

Este préstamo, sin embargo, el banco no nos lo concederá a lo loco, porque utiliza el dinero que tiene guardado para darlo. El banco siempre nos concederá préstamos en función de lo que nosotros cobramos, para asegurarse de que podremos devolverle ese dinero que nos está prestando.

También es habitual que nos pidan un aval, es decir, una persona que responda por nosotros, algún depósito de dinero o algo material que puedan quedarse en caso de que no podamos pagar.

La hipoteca

Es el préstamo que nos concede el banco utilizando un inmueble como garantía. Generalmente, este tipo de préstamo se utiliza para pagar la casa o el piso que nos hemos comprado para vivir.

Con la hipoteca, el banco tiene el derecho de quedarse con la casa en el caso de que no podamos pagarla. Esto se debe a que el banco la ha pagado por nosotros, y lo que estamos haciendo cada mes es devolverle, poco a poco, el dinero que ha puesto.

Actualmente, un banco puede financiar hasta un máximo del 80 % del precio de nuestro hogar. El otro 20 % debemos ponerlo nosotros, pero estos porcentajes pueden variar con el tiempo. Para que el banco decida cuánto dinero nos presta para nuestro hogar, estudiará aspectos como:

- Nuestro nivel actual de ingresos.
- Cuál es nuestro trabajo y nuestra formación profesional.
- Cuántos años tenemos, para saber cuánto tiempo podremos pagar.
- Qué avales tenemos, por si no podemos seguir pagando.

De esta forma, el banco intenta asegurarse al máximo de que vamos a poder pagarle la casa.

Pero también es muy importante que las propias personas se informen y mediten bien a la hora de endeudarse. Porque aunque ahora creamos que podemos pagarlo todo, quizá más adelante las cosas no vayan tan bien.

Una de las cuestiones que no suelen explicarse, por ejemplo, es que si no puedes pagar la hipoteca, el banco quizá quiera algo más que la casa. Esto se debe a que si ahora la vivienda vale menos de lo que le debemos al banco, éste no sólo se quedará con la casa, sino que además querrá que le paguemos lo que falta. Una de las formas de evitar tener que dar aún más dinero es la *dación en pago*. Mediante este sistema, que hay que pactar previamente, quedamos en paz con el banco si le entregamos la casa y las llaves sin pedir nada a cambio.

Otros servicios

Además de esas dos funciones básicas, la liquidez y el préstamo, ahora los bancos ofrecen otros servicios que buscan que les confiemos toda nuestra administración personal.

Por ejemplo, nos ofrecen:

- *Fondos de pensiones:* son una modalidad de los fondos de inversión que nos ofrecen unos ahorros cuando nos jubilemos y ya no cobremos más por trabajar. A veces tienen un trato favorable a nivel fiscal, y sirven para ser previsores en caso de que no podamos acceder a la pensión de jubilación, o en el caso de que ésta sea insuficiente.

- *Domiciliación:* está muy extendido y es el servicio que permite automatizar pagos como el de la luz, el teléfono o el gimnasio sin tener que ir cada mes a cada una de las empresas en las que tenemos algo contratado.

- *Tarjetas:* de crédito y de débito, nos permiten pagar sin usar dinero o bien sacar dinero de nuestra cuenta sin tener que ir al banco donde lo metimos la primera vez. Cuando extraemos dinero de un cajero automático con la tarjeta de débito, o pagamos algo que hemos comprado, el dinero se descuenta automáticamente de nuestra cuenta corriente. Si lo hacemos con la tarjeta de crédito, el cargo en la cuenta se hace a final de mes, o incluso se nos ofrece la opción de pagarlo en varios plazos con un recargo mensual de intereses por el precio aplazado.

- *Seguros:* los hay de hogar, de coche, de moto, seguros de accidentes, etc. En algunas ocasiones los bancos nos obligan a contratar su seguro de hogar a la hora de hacer la hipoteca.

Aunque tener todos estos servicios en un mismo lugar puede ser cómodo, también debemos tener en cuenta si nos conviene, si el banco nos ofrece lo mismo que las empresas especializadas, si nos favorece el hecho de tener todo nuestro dinero en un solo banco, o si nos conviene tener más opciones.

MI CONSEJO PERSONAL

En lo que a economía personal se refiere, mi consejo es que una familia nunca se endeude por encima del 30 % de sus ingresos. Aunque a veces por circunstancias de la vida hay que endeudarse más, lo ideal es que de forma general no te endeudes más que una tercera parte de lo que cobras en total.

Tampoco debes olvidar otro de los requisitos básicos a la hora de tratar con los bancos, que es leer la letra pequeña y asesorarte bien antes de firmar nada. De esa forma te ahorrarás:

- *Las cláusulas abusivas* que muchos bancos intentarán imponerte y que no tienes por qué aceptar.
- *Estar atado al banco para toda la vida,* porque tienen tu casa o tu seguro en su poder o porque hayas hecho contratos por más tiempo del que querías en un principio.
- *Deberles más de lo que puedes cobrar,* ya sea porque les has pedido demasiado dinero o porque te piden unos intereses demasiado altos que luego no puedes pagar.

¿Verdad que si te apuntas a jugar con un equipo de fútbol no aceptarás que quieran que juegues con ellos, y sólo con ellos, para toda la vida? Porque quién sabe lo que querrás hacer en el futuro. Además, antes de dar un paso tan importante, seguro que quieres probar ese equipo para saber cómo es.

Con el dinero deberías hacer lo mismo. Y en este sentido, no olvides que hay bancos y bancos: están los bancos que buscan el enriquecimiento propio y el de las grandes empresas, y los que buscan un beneficio para toda la sociedad y una concienciación social.

EPÍLOGO
CÓMO HA NACIDO ESTE LIBRO

El primer aviso de la necesidad de crear un libro para jóvenes —de todas las edades— me llegó el año pasado, cuando me planteaba reducir mi dedicación a Triodos Bank, el primer banco ético que opera en España, para comenzar a promover la banca ética en Latinoamérica. El encargo me llegó desde la propia institución, pero sobre todo a través de su Fundación, que busca crear conciencia y valores a través de la comunicación entre las personas.

Lo que me pidieron, exactamente, fue que escribiera un manual para que los directores de las diversas oficinas del banco lo pudieran usar como manual de referencia, para ir a las escuelas y colegios a difundir la necesidad de tener una conciencia a la hora de utilizar el dinero.

Ésa es una de las misiones de la Fundación Triodos, la de concienciar a la población sobre qué hacemos con el dinero, a dónde va cuando lo usamos para comprar, para ahorrar, o para donarlo, y quién se beneficia al final.

Eso es algo que mucha gente no sabe, a dónde va a parar su dinero. Pero es importante tener ese conocimiento para crear un mundo mejor en el que el dinero esté mejor repartido entre toda la sociedad.

Yo siempre digo que es importante hacer un buen uso del dinero, y por eso es importante ir a las escuelas a hablar de economía, para que los jóvenes de hoy, que serán los adultos del futuro, desarrollen esa conciencia que a nosotros nos falta. Así estará en sus manos el poder de crear un mundo justo, ético y mejor.

Pero para eso, para transmitir la necesidad de la conciencia en el uso del dinero, es importante que los directores de nuestro banco puedan dar esas charlas de divulgación, y que luego sean los propios profesores los que colaboren en esa tarea. Nuestros directores entienden de economía y saben mucho del dinero, pero también hay que saber explicarse bien y con claridad para que todo el mundo lo comprenda, incluso los más jóvenes.

Este libro ha sido creado especialmente para ellos.

En los últimos años me he dedicado a impartir cientos de conferencias de este tipo. Por eso me pidieron que escribiera este manual y les diera un poco de formación: para que cada uno de ellos pudiera explicar qué es la economía tal como yo, por ejemplo, se la explicaría a mis nietos. De una forma clara, sencilla y amena que no busque vender productos o buscar futuros clientes. Se trata fundamentalmente de explicar a los jóvenes cómo funciona el mundo en la actualidad, y cómo entre todos podemos cambiarlo para mejor.

Pero cuando empezó el proyecto, no nos quedamos solamente en lo de hacer un manual para directores. Nos dijimos que sería mucho más útil publicar un libro para que también los jóvenes y toda la familia pudieran aprender cómo es la economía actual y cómo hacerla más sostenible.

Para que entre todos, profesores, padres y jóvenes de todas partes, puedan crear esa consciencia económica global que hará que el mundo sea más justo y amable para todos.

En eso, en Triodos Bank son expertos. Es un banco ético que se creó precisamente para ayudar a distribuir mejor la riqueza y contribuir a un cambio positivo de la sociedad. Para esta institución es central hacer un uso consciente del dinero, sabiendo de dónde viene y a dónde va. Como hemos visto a lo largo del libro, eso es muy importante a la hora de comprar, ahorrar y donar. El banco nos ayuda a promover los buenos principios en el ámbito bancario, pero la Fundación Triodos lo hace a nivel cultural: para crear una conciencia a nivel social.

Pero ¿por qué ahora? ¿Por qué promover entre los jóvenes el buen uso del dinero en este momento concreto? La respuesta es sencilla: porque *estamos en una guerra* entre dos modelos de sociedad. Una, en la que el centro es el ser humano; la otra, donde lo que prima es el beneficio económico. Sólo hace falta ver las noticias para darnos cuenta de que hay muy poca armonía en el mundo que nos rodea, y que gran parte de esas rencillas tienen que ver con la pobreza y la desigualdad.

Así que realmente estamos en un combate, y como se suele decir: *a la guerra hay que venir llorados de casa y a ganar.* Debemos ponernos a luchar o estaremos perdidos. Pero solos no podemos hacerlo, y por eso es tan importante que sepamos unirnos en comunidad y buscar el bienestar personal, pero también el de esa sociedad que está compuesta por gente como nosotros.

Por eso, si no nos educan desde pequeños sobre la necesidad de tener conciencia como individuo pero también como miembro de la comunidad, es casi imposible desarrollar esta conciencia económica de mayores.

No nos enseñan economía en la escuela, o no nos la enseñaban hasta ahora. Por suerte esto es algo que está cambiando ya.

Hay que educar a los más pequeños en la economía, pero hay que tener cuidado. No podemos hacerlo de cualquier manera, sin aspirar a un cambio social. Otros bancos van a los colegios a hablar de economía, pero están propagando y manteniendo el mismo modelo que ya hemos visto que no funciona, sin ninguna autocrítica, sin ninguna voluntad auténtica de transformación social.

Triodos Bank, en cambio, busca hablar de la responsabilidad, el bienestar y la comunidad a través de la actividad financiera. Para ello nació la banca ética en su día. Y para eso tienes ahora este manual en tus manos.

Este libro está hecho para que puedas descubrir que hay otra realidad diferente, otra forma de gestionar el dinero y de ver más allá de lo que nos impone la sociedad.

Sí, otro mundo es posible, pero tenemos que hacerlo entre todos.

PUCK

AVALON

Libros de *fantasy* y *paranormal* para jóvenes, con los que descubrir nuevos mundos y universos.

LATIDOS

Los libros de esta colección desprenden amor y romance. Ideales para los lectores más románticos.

LILLIPUT

La colección para niños y niñas de 9 a 14 años, con historias llenas de aventuras para disfrutar de verdad de la lectura.

SERENDIPIA

Una serendipia es un hallazgo inesperado y esto es lo que son los libros de esta colección: pequeños tesoros en forma de historias contemporáneas para jóvenes.

SINGULAR

Libros *crossover* que cuentan historias que no entienden de edades y que pueden disfrutar tanto un niño como un adulto.

¿Cuál es tu colección?

Encuentra tu libro Puck en:
www.mundopuck.com

 puck_ed

 mundopuck